Club des gars MC

LE MANUEL DES
voyageurs du temps

Texte de Lottie Stride
Illustrations de Dusan Pavlic
Sous la direction de Sally Pilkington
Design de Zoe Quayle
Conseiller en histoire :
Dr Kelvin Meek

Mille mercis à Alanna Skuse

Club des gars™

LE MANUEL DES voyageurs du temps

PRESSES AVENTURE

© 2010 Les Publications Modus Vivendi inc. Club des gars et les logos qui s'y rapportent sont des marques de commerce de Les Publications Modus Vivendi inc.

© 2009 Buster Books pour le texte original et les illustrations
Illustration de la couverture : Paul Moran

Presses Aventure, une division de
LES PUBLICATIONS MODUS VIVENDI INC.
55, rue Jean-Talon Ouest, 2ᵉ étage
Montréal (Québec) H2R 2W8 CANADA

Publié pour la première fois en 2009 en Grande-Bretagne par Buster Books, une division de Michael O'Mara Books Limited, sous le titre : *The Time-travellers Handbook How to be the Best In Time and Space*

Traduit de l'anglais par Jean-Robert Saucyer

Dépôt légal : Bibliothèque et Archives nationales du Québec, 2010
Dépôt légal : Bibliothèque et Archives Canada, 2010

ISBN 978-2-89660-092-2

Nous reconnaissons l'aide financière du gouvernement du Canada par l'entremise du Programme d'aide au développement de l'industrie de l'édition (PADIÉ) pour nos activités d'édition.

Gouvernement du Québec – Programme de crédit d'impôt pour l'édition de livres – Gestion SODEC

Imprimé au Canada

TABLE DES MATIÈRES

LE B.A.-BA D'UN VOYAGE DANS LE TEMPS

Aujourd'hui est le grand jour! Tu t'apprêtes à faire ton premier voyage dans le temps.

Voici ton combiné de téléportation. Il s'agit d'un instrument de navigation indispensable à tous ceux qui cherchent à se

déplacer dans le temps et l'espace. En suivant les indications de ce manuel, tu appuieras sur la touche « Saut » et tu seras propulsé à n'importe quelle époque et en n'importe quel endroit. Lorsque tu y arriveras, vérifie l'écran du combiné afin de découvrir en quelle année tu te trouves.

CE QU'IL FAUT FAIRE ET ÉVITER
LORSQU'ON VOYAGE DANS LE TEMPS

Voici quelques conseils qui t'aideront à profiter au maximum de tes voyages dans le temps.

• Veille bien sur ton combiné de téléportation. Lorsque tu ne t'en sers pas, mets-le en sûreté dans une poche ou, mieux encore, fixe-le à ta ceinture. Si tu le perds, tu ne pourras pas revenir au moment présent. Le combiné est le fin du fin en matière de technicité; il paraît peu probable que tu puisses en trouver un autre dans l'Égypte des pharaons.

• Ne t'inquiète pas si tu te sens un peu bizarre ou étourdi les premières fois où tu te retrouves dans le passé. Cela est normal. Tous n'aiment pas filer dans le passé à toute allure. On s'habitue peu à peu à remonter le temps, comme on s'habitue à plusieurs choses.

• Fais preuve de respect envers les gens que tu croiseras au cours de tes déplacements. Ils ne manient peut-être pas les ordinateurs, ni même les outils de métal, mais cela ne signifie pas qu'ils sont idiots—seulement, ils vivent à une autre époque que la nôtre. Tu seras fort impopulaire si tu leur demandes s'ils sont amateurs de football ou de hip-hop, ou encore si tu peux emprunter un téléphone cellulaire; ils croiront probablement que tu es fou.

• N'hésite pas à appuyer sur la touche « Éjection » qui se trouve au centre du combiné chaque fois que tu te sens menacé ou effrayé. Ne traîne pas là où tu ne devrais pas, car le passé comporte sa part de dangers.

Appuyer sur la touche « Éjection » te mettra hors de danger avant de te ramener dans le présent.

Malheureusement, la touche « Éjection » ne peut que te ramener en accéléré dans le présent. Elle ne te sortira pas d'une situation difficile si tes parents s'aperçoivent que ta chambre est en désordre. Tu devras alors faire face à la situation.

• Exprime-toi comme tu le fais d'ordinaire. Ton combiné est doté d'un logiciel de reconnaissance des langues appelé « Blablabla » qui se règle automatiquement en fonction de la langue parlée à l'endroit et à l'époque où tu te trouves. Grâce à ce logiciel, tu seras en mesure de comprendre et de parler aux gens que tu rencontreras au cours de ton périple, et ce, tant que tu tiendras le combiné ou qu'il sera fixé à ta ceinture.

• Ne t'inquiète pas! Tes vêtements remonteront le temps avec toi. Tu ne te retrouveras pas nu comme un ver au cours d'une audience avec Louis XIV.

MISE EN GARDE

Ne cherche pas à modifier le cours de l'histoire, même si cela est fort tentant. On ne remonte pas le temps pour faire d'autre gain que la connaissance que l'on en tire.

Il est rigoureusement interdit de remonter le temps afin d'acheter un billet de loterie en sachant qu'il s'agit du numéro gagnant.

Ton combiné de téléportation s'en rendrait compte et te servirait sans tarder une correction en te propulsant à l'époque victorienne, où tu serais de corvée, à ramoner des cheminées noires de suie (reporte-toi aux pages 32 à 35). Il ne te ramènera pas aujourd'hui, à moins d'être assuré que tu aies reconnu avoir mal agi.

• Respire librement. Le combiné de téléportation est doté d'un écran immunitaire. Ainsi, tu seras protégé contre les microbes du passé et tu éviteras de transmettre les bactéries d'aujourd'hui à ceux dont tu croiseras la route.

• Lis bien cet ouvrage avant ton départ et emporte-le avec toi. Tu y trouveras des conseils judicieux et des renseignements utiles à qui fait du tourisme, notamment en ce qui a trait aux monuments à voir et aux endroits qu'il est préférable d'éviter.

À présent, te voilà prêt pour le voyage!

Prends une grande bouffée d'air et appuie sur la touche « Saut ».

Bon courage et profite de chaque instant!

UNE JOUTE DE SOCCER À LA MODE MAYA

La clameur de la foule te ramène à la raison et tu te retrouves au milieu de ce qui semble être un terrain de soccer. Tu es dans une région que l'on appelle aujourd'hui « le sud du Mexique » et le « Guatemala » et les spectateurs en liesse sont tous des Mayas, des membres d'un peuple autochtone réputé pour ses constructions, son astrologie et son soccer. En fait, une partie de soccer maya va bientôt commencer; mais il s'agit d'autre chose que d'une rencontre sportive entre deux équipes, car la partie peut être fort dangereuse. L'issue de la rencontre est affaire de vie ou de mort pour les joueurs et les spectateurs.

MISE AU JEU

Le terrain de jeu sur lequel tu te trouves a la forme d'un « I » majuscule et ses hauts côtés sont décorés de sculptures élaborées. Les hauts côtés permettent au ballon de rester dans le jeu.

Afin de prendre part à la rencontre, tu vas devoir te déshabiller et passer quelque accessoire de protection afin d'éviter les blessures. Le ballon plein est fait de caoutchouc, peut peser jusqu'à 4 kilogrammes (environ 2 livres) et est suffisamment dur pour te rompre les os. Aussi, veille bien à revêtir une peau d'animal matelassée afin de te protéger et à porter des protège-genoux et des protège-bras faits de peaux d'animaux. Estime-toi heureux, car un crâne humain entouré de bandelettes de caoutchouc tient parfois lieu de ballon.

Il ne te reste qu'à poser un panache sur ta tête et te voilà prêt à jouer au ballon. Tu as beaucoup de prestance, d'ailleurs comme les autres membres de ton équipe qui font leur entrée sur le terrain, vêtus de peaux d'animaux, de coiffures emplumées et de bijoux scintillants.

RÈGLES DU SOCCER MAYA

Te voilà au moment du match dont les historiens ne savent trop comment on le jouait. Tu devras donc te fier à ton sens commun. Toutefois, d'autres voyageurs revenus de cette époque ont raconté qu'il faut vraiment se dépenser pour faire gagner son équipe, car les perdants sont souvent sacrifiés aux dieux.

Regarde bien l'extrémité du terrain de jeu. Tu apercevras un anneau de pierre assez grand pour que le ballon y trouve une place. Tu serais assurément bien avisé de jouer en ce sens. Fais en sorte de diriger le ballon dans la bonne direction—on ne peut marquer de points dans le but de son équipe quel que soit le siècle où l'on joue.

EXERCICE PRATIQUE

Matériel nécessaire :

• une aire de jeu • des protège-tibias • des protège-coudes et un casque de protection • un ballon de soccer ou de plage • deux cerceaux ou deux seaux

Pose un cerceau à chaque extrémité du terrain de jeu, à environ 7 mètres (environ 23 pieds) de distance. Si tu n'as pas de cerceaux, pose un seau à chaque extrémité du terrain.

Réunis un groupe d'amis et faites deux équipes; un minimum de deux joueurs doivent s'affronter de part et d'autre du terrain. Passe tes accessoires de protection (ce n'est pas vraiment nécessaire si le ballon est suffisamment mou, mais tu auras davantage l'attitude du joueur aguerri). Les jupes en peau de jaguar sont laissées à la discrétion de chacun!

L'objectif du jeu est de faire passer le ballon dans votre seau. En premier lieu, vous devez décider du but que chaque équipe doit atteindre. Par la suite, vous devez tirer à pile ou face afin d'établir quelle équipe joue en premier. Le ballon revient au gagnant du tirage au sort.

On pense que les Mayas n'avaient pas le droit de frapper le ballon à l'aide de leurs pieds. Ils ne pouvaient le toucher qu'avec les genoux, les bras ou les hanches. Tu n'as pas le droit de frapper, d'attraper ou de lancer le ballon autrement qu'en serrant les poings. Pour commencer la partie, tu peux frapper le ballon avec la tête, le poing, un genou ou le torse afin de l'envoyer à un membre de ton équipe. L'équipe qui a compté le plus grand nombre de buts au bout de 10 minutes remporte la partie.

MISE EN GARDE

Si, par mégarde, tu frappes le ballon à l'aide du pied ou de la paume de ta main, il passe à l'équipe adverse.

1588 apr.J.-C.

VAINCRE L'INVINCIBLE ARMADA D'ESPAGNE

Le vent cingle tes oreilles et tu balances de gauche à droite comme un trapéziste. Tu te retrouves dans le nid-de-corbeau d'un bâtiment de guerre anglais. Hélas! ton poste d'observation n'est qu'une petite plate-forme installée dans la partie haute du mât.

Tout autour, tu aperçois d'autres navires qui fendent les vagues. Le bâtiment sur lequel tu fais office de vigie appartient à une flotte anglaise lancée à la poursuite d'imposants vaisseaux de guerre espagnols réputés invincibles. Les Anglais tentent de chasser les Espagnols de la côte de l'Angleterre.

TACTIQUES

On vient de te repérer et les marins te soupçonnent d'être un passager clandestin. Ils te conduisent à leur commandant, Sir Charles Howard. Ce dernier a la réputation de faire passer sous la quille les marins rebelles et de les remorquer à l'aide d'un câble. Tu serais lacéré en rubans sur les bernacles fixées aux parois rocheuses. Par chance, il est de joyeuse humeur. Après plusieurs mois de combats féroces, les Espagnols prennent la fuite. Aussi, le commandant est heureux d'avaler une goutte de rhum et de t'expliquer sa tactique.

• Sir Charles Howard dirige des vaisseaux rapides et maniables. Les galions espagnols sont beaucoup plus imposants et mettent du temps à amorcer les virages et à zigzaguer.

• Les équipages anglais regroupent des marins chevronnés alors que les Espagnols ont bondé leurs navires de soldats. Les Espagnols projettent d'approcher les vaisseaux ennemis et de les aborder, mais les Anglais sont trop bons navigateurs pour que les Espagnols puissent les approcher.

• Sir Charles Howard fait bon usage des canons. Les Anglais s'approchent des galions, les attaquent de côté et font feu à courte distance. En outre, ils possèdent des mousquets à longue portée à l'aide desquels ils peuvent faire feu avec plus de précision.

• Les marins aux ordres de Sir Charles Howard ont eu une idée de génie. Un soir, ils mettent le feu à huit des plus vieux navires. Le vent les souffle en direction de la flotte espagnole, qui se voit contrainte de mettre les voiles et de s'éloigner de la côte de l'Angleterre.

FORFAIT CROISIÈRE EN MER

La vie à bord te semble si fascinante que tu décides de dîner en compagnie des membres de l'équipage. Malheureusement, le menu propose de la viande salée et des biscuits ramollis truffés de petites bestioles appelées charançons. Lorsque tombe la nuit, un équipage formé de quarante hommes, qui mangent, combattent et dorment dans les mêmes vêtements usés depuis des mois, laisse dans la cale une odeur repoussante. Au bout d'une nuit passée dans cette cale noire et humide, serré contre des marins qui empestent, tu ne te plaindras plus jamais de devoir partager ta chambre avec ton frère.

TÊTES DE NŒUD

Au petit matin, tu apprends d'un matelot que Sir Charles Howard souhaite que tu travailles pour payer ton hébergement. Il te montre à faire des nœuds élémentaires, dont un nœud de bouline qui sert à fixer un câble à un mât ou une rampe.

1. Forme une petite boucle le long du câble. Tu auras plus de facilité si tu imagines que la boucle est en fait un terrier de lapin, que l'extrémité du câble est le lapin même et que le reste du câble est un arbre.

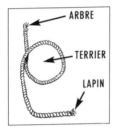

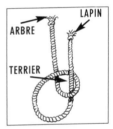

2. Fais passer le lapin dans le terrier ainsi qu'on le voit sur le schéma.

3. Fais passer le lapin derrière l'arbre.

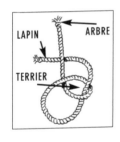

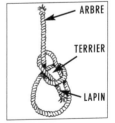

4. Fais passer le lapin à l'intérieur du terrier.

5. Serre bien le nœud.

FABRIQUER DE LA SOIE EN CHINE ANCIENNE

Pouah! Tout autour de toi se trouvent des plateaux de bois sur lesquels grouillent des asticots pâles et grisâtres. Ils sont des millions qui grignotent des feuilles et qui se contorsionnent dans leurs propres chiures.

Te voilà en Chine ancienne au beau milieu d'un élevage de vers à soie. À tes côtés, une fillette attrape un ver de l'un des plateaux. Elle s'appelle Mei Ying et te raconte que ce ne sont pas des vers, mais plutôt des chenilles qui deviendront des papillons. Les chenilles rongent des feuilles de mûrier et leur festin n'a pas été interrompu depuis près de six semaines. Elles sont nées en sortant de minuscules œufs et ont changé de peau à quatre reprises avant d'atteindre la taille qu'elles ont à présent.

Mei Ying en saisit une pour te la montrer de près. Elle vomit de minces fils et la fillette te dit que c'est de la soie. La chenille se confectionne un cocon.

17

Mei Ying dépose la chenille à l'intérieur d'un cadre de bois à proximité de ses sœurs qui ont achevé leur cocon. Elle dit que la soie est, en fait, la salive de la chenille qui a durci. Chaque chenille s'enroule dans 1 kilomètre (0,6 mille) de soie. Mei Ying tient un cocon et t'explique que la chenille qui se trouve à l'intérieur est en train de se transformer en papillon. Malheureusement, aucune de ces chenilles ne deviendra un papillon un jour.

Elle te conduit à une grande marmite pleine d'eau bouillante où flottent nombre de cocons, comme des boules d'ouate, à la surface de l'eau. Les cocons y sont jetés alors que les chenilles sont encore en vie, car on manipule ainsi plus facilement les fils de soie. Mei Ying dit que les cocons sont prêts à passer aux mains de sa mère

Elle prend des baguettes de bois et commence à ramasser les cocons dans la marmite pour les déposer dans un panier d'osier. Cela semble facile, mais lorsque vient ton tour, tu les prends et les échappes dans l'eau bouillante.

Mei Ying entend un bruit et t'invite à te cacher—elle courrait un grave danger si on la surprenait en train de te parler. La fabrication du fil de soie et son tissage pour confectionner des étoffes sont des secrets jalousement gardés. Les Chinois sont les seuls dépositaires de cet art et ils font beaucoup d'argent en vendant leurs fines étoffes en d'autres pays. Quiconque est surpris à révéler le secret de la fabrication du fil de soie ou du tissage d'une étoffe de soie encourt la peine de mort. De l'endroit où tu te caches, tu aperçois la mère de Mei Ying qui entre. Elle prend un cocon dans le panier et s'assoit devant une espèce de rouet. Elle examine le cocon de près, à la recherche de l'extrémité du fil de soie. Lorsqu'elle le trouve, elle se sert d'une sorte de bobine autour de laquelle elle enroule le fil.

Alors que tu l'observes, tu as peine à croire que ces petites chenilles puissent produire autant de fils. Mei Ying dit que, bien qu'une seule chenille puisse produire près de 1 kilomètre de fil, il est si fin qu'il en faut jusqu'à dix pour confectionner une écharpe.

Par la suite, la mère de Mei Ying entortille cinq ou six fils de manière à en faire un plus résistant. On peut alors les teindre de différentes couleurs et s'en servir pour faire de la broderie ou tisser des étoffes. Les vêtements ainsi produits seront ensuite acheminés vers d'autres pays et continents et emprunteront ce qu'on a appelé « la route de la soie » (reporte-toi aux pages 117 à 119).

40, 000
av. J.-C.

LA CHASSE
AU MAMMOUTH

Remonter le temps à raison de plusieurs millénaires n'est pas une mince affaire. Tu atterris en catastrophe au beau milieu d'un groupe de créatures musclées et velues. Qui plus est, elles sont armées! Chacune d'elles brandit une lance de bois dotée d'une pointe qui semble très bien affûtée. Ces créatures frustes sont, en fait, des hommes de Néandertal, nos ancêtres de la préhistoire.

Résiste à la tentation d'appuyer sur la touche «Éjection» de ton combiné. Ces chasseurs courtauds ne t'en veulent pas; ils sont sur les traces d'un mammouth. Le mammouth est une espèce d'éléphants à fourrure aux longues cornes recourbées qui sont disparus depuis longtemps. Tu te retrouves parmi l'une des meilleures équipes de chasseurs de l'époque des hommes de Néandertal. Prépare-toi donc à ta première chasse au mammouth!

UNE TÂCHE ÉLÉPHANTESQUE

L'une des équipes te remet une lance et un chasseur désigne le sol. Une énorme empreinte de pas y est incrustée, à proximité d'un gigantesque tas de crottin fumant, ce qui signifie qu'un mammouth se trouve dans les parages.

Lorsqu'il s'agit de chasse, un mammouth détient tous les avantages sauf un : ce sont les chasseurs et toi qui êtes dotés d'intelligence. Il y a plusieurs manières de dépister un mammouth.

Tu pourrais creuser une grande fosse, la recouvrir de feuilles et de branches et mener le mammouth dans sa direction afin qu'il tombe dans le piège. Sinon, trouve un mammouth affaibli, puis sers-toi de lances, de pierres ou de fléchettes empoisonnées afin de l'achever.

L'équipe dont tu fais partie compte se servir de la taille impressionnante du mammouth à son désavantage. Les chasseurs projettent de l'entraîner dans une zone marécageuse. Un mammouth peut faire plus de 3 mètres (environ 10 pieds) de hauteur et peser plus de 7000 kilogrammes (environ 7 tonnes). Ses défenses sont effilées et peuvent mesurer jusqu'à 3 mètres (environ 10 pieds) de long. Il est beaucoup plus facile de tuer pareil mastodonte alors qu'il se débat péniblement dans les marais salants.

D'abord, les chasseurs entourent en silence, à pas furtifs, l'animal et ne lui laissent qu'une ouverture par où s'échapper, qui conduit droit vers le marécage boueux. Ensuite, au signal du chef, tous les chasseurs chargent le mammouth en lançant des cris sauvages et en brandissant des torches enflammées.

Prends garde de ne pas perdre pied, car tu risquerais d'être piétiné. Pris de panique, le mammouth cherchera à fuir et, s'il aperçoit une brèche, il tentera de s'y diriger.

CONSEILS DE CHASSE

La chasse au mammouth est risquée et ardue, mais voici quelques conseils qui vous procureront, à ton équipe et à toi, quelques avantages sur l'animal traqué.

• Assure-toi d'être toujours sous le vent par rapport au mammouth. Ainsi, tu pourras humer son odeur (et l'odeur de mammouth est facile à percevoir!) sans qu'il ne puisse déceler la tienne.

• Fais le moins de bruit possible alors que tu t'approches d'un mammouth. Déplace-toi avec lenteur et avance avec précaution. Reporte ton poids sur ton pied arrière et sers-toi de ton pied avant pour sonder le sol et vérifier qu'il ne s'y trouve pas de branches qui puissent craquer et alerter ta proie. Ne déplace ton poids sur ton pied avant qu'au moment où tu es assuré de le faire en silence et sans trébucher.

• Si le mammouth cesse de manger, lève la trompe au-dessus de sa tête et la fait tourner, tu es en danger. L'extrémité de sa trompe est dotée de narines, donc il peut avoir décelé ton odeur.

• Si tu penses que le mammouth t'a repéré, ne t'affole pas. Les grands chasseurs de mammouth ne sont jamais pris de panique. L'animal peut n'avoir jamais aperçu un être humain auparavant et il ignore peut-être ton projet. Si tu ne remues pas, il pourrait se détendre et se remettre à manger, car il doit consacrer presque tout son temps à son alimentation. Pareillement à un éléphant, un mammouth doit probablement consacrer près de 18 heures par jour à la recherche de nourriture.

• Surtout, ne t'éloigne pas de ton équipe. Seul à seul avec un mammouth, tu n'aurais aucune chance de l'emporter sur lui. C'est une créature gigantesque—parvenu à sa maturité, un mammouth pèse plus de 150 fois ton poids.

LA CONFECTION DU PAPYRUS EN ÉGYPTE ANCIENNE

2500 av. J.-C.

Tu te retrouves dans un épais bosquet de roseaux en bordure du Nil, le grand fleuve qui coule en Égypte. Nul ne t'a remarqué. Veille à ce qu'il en soit toujours ainsi, car tu t'apprêtes à découvrir un secret jalousement gardé. Tu es en 2500 avant Jésus-Christ et les Égyptiens de l'Antiquité sont les seuls qui savent fabriquer l'ancêtre du papier à partir de ces roseaux que l'on appelle « papyrus ». Ils gagnent beaucoup d'argent à vendre ces rouleaux de parchemins et ils ne veulent pas que d'autres connaissent leur procédé de fabrication. Si on t'aperçoit, on croira que tu fais l'espion et qui sait ce qu'il adviendra de toi ?

Tu dois également prendre garde aux crocodiles. Ils abondent dans cette région et ils adorent se tapir dans les buissons de roseaux comme celui où tu te caches.

LA CONFECTION DU PAPYRUS

Tu aperçois un groupe d'ouvriers qui récoltent le papyrus dans une plantation qu'ils ont faite à proximité des rives du Nil. Tu les suis alors qu'ils quittent la rive, mais tu veilles à ce que nul ne t'aperçoive quand tu épies les gestes de ceux qui confectionnent le papyrus.

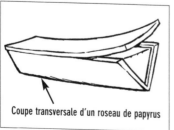

Coupe transversale d'un roseau de papyrus

En premier lieu, il faut peler l'écorce cannelée des roseaux. Les ouvriers la conservent et s'en servent pour fabriquer d'autres objets, dont des paniers et des sandales.

À l'intérieur du roseau se trouve une tige poisseuse qu'ils taillent en fines bandes. Les ouvriers assènent ensuite de grands coups de bloc de bois à ces bandes afin de les amincir et les mettent à tremper dans l'eau du fleuve pendant près de trois jours.

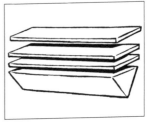

Par chance, tu n'auras pas à attendre si longtemps. Un autre groupe d'ouvriers se charge de bandes de roseaux détrempées. À l'aide de rouleaux de bois semblables à des rouleaux à pâtisserie, ils compriment les bandes de roseaux afin d'en extraire l'eau et de les aplatir davantage.

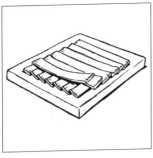

Ensuite, les ouvriers étagent les bandes de roseaux en les faisant se chevaucher. La première strate est posée à l'horizontale. Une autre strate de bandes verticales y est ensuite superposée. Les bandes de roseaux contiennent une gomme naturelle qui leur permet d'adhérer les unes aux autres alors qu'elles sèchent.

Les ouvriers déposent des draps de lin et de feutre sur le papyrus afin de le faire sécher. Le papyrus est ensuite comprimé entre deux planches de bois pour que l'eau qui reste à l'intérieur soit extraite. Les planches de bois remplaceront les draps de lin au cours des jours suivants.

Tu vois ensuite un ouvrier qui assemble des pans de papyrus pour former un gros rouleau d'environ 30 mètres (environ 100 pieds) de longueur. Soudain, il cesse de se concentrer sur son travail et jette un œil dans ta direction. Pour toi, le moment est venu de quitter la terre des pharaons.

COURSE AUX ABRIS PENDANT LA SECONDE GUERRE MONDIALE

Tu te retrouves en 1939 alors que la Grande-Bretagne vient de déclarer la guerre à l'Allemagne. Tu es en Angleterre, à bord d'un train bondé d'enfants qui font des gestes d'adieu aux fenêtres des wagons alors que le train s'ébranle depuis la gare ferroviaire.

Un garçon de ton âge t'indique une place à ses côtés dans le compartiment. Il s'appelle Thomas.

Thomas raconte qu'il est natif d'une ville anglaise appelée Coventry et que ses camarades de classe et lui-même se rendent à la campagne, car il est trop dangereux pour eux de rester en ville. Une telle opération, appelée « évacuation », se déroule à la grandeur du pays. Les écoliers de toutes les villes d'importance sont déplacés à la campagne où on espère qu'ils seront en sûreté. L'armée de l'air allemande est toute-puissante et plusieurs craignent que l'ennemi ne s'apprête à faire pleuvoir des bombes sur les grandes villes.

Thomas est maigrichon et se gratte le crâne comme s'il était infesté de poux. Une étiquette est brodée au revers de sa veste sur laquelle on lit son nom et son adresse. Il n'a pour tout bagage qu'une petite valise et un masque à gaz. Tu lui demandes si tu peux passer le masque. Il dégage une forte odeur de caoutchouc et semble déformer ton visage, en plus d'être incommodant. Thomas ne s'en formalise pas, car il sait qu'il pourrait lui sauver la vie si les Allemands libéraient des gaz toxiques dans la population. Il te demande pourquoi tu ne t'en es pas prémuni et pourquoi tes vêtements ne portent aucune étiquette.

Thomas paraît très nerveux. Il ne semble pas savoir s'il devrait être fébrile ou s'ennuyer de sa famille. Il n'est jamais allé plus loin que Coventry. Il quitte sa famille et son foyer pour la première fois et ignore où il va et combien de temps il sera parti. En outre, il se fait du souci au sujet de ses parents. Son père est au front et sa mère est restée à Coventry.

ENFANTS EN SURNOMBRE

Au bout de quelques heures à bord du train, au cours desquelles tu n'as mangé qu'un sandwich, tu es las et affamé. Mais le périple n'est pas achevé. À la descente du train, les enfants sont conduits dans une grande salle communale. La confusion règne, car il semble que les villageois n'attendaient pas autant d'enfants.

Les habitants de la région ont accepté d'héberger des enfants chez eux. Tu aperçois nombre d'adultes qui observent les petits et qui choisissent ceux qu'ils veulent avoir sous leur toit, mais ils ne semblent pas être suffisamment nombreux pour accueillir tous les enfants qui descendent du train.

Une dame qui tient une planchette à pince se gratte la tête et semble plutôt inquiète. Thomas et toi espérez n'être pas laissés pour compte.

CONSEILS POUR COMPTER PARMI LES ÉLUS

Il importe que tu sois accueilli par de braves gens qui prendront soin de toi. Quelques-uns ne souhaitent pas avoir d'enfant sous leur toit, mais s'il se trouve des évacués en surnombre, les militaires peuvent leur ordonner d'en accueillir. S'ils refusent, ils seront mis à l'amende. Voici donc quelques conseils en vue d'accroître tes chances d'être choisi.

• Fais bonne figure—lisse tes cheveux indisciplinés et ajuste ta veste et ta cravate. Imagine que tu es mis en vente. Quelqu'un voudrait-il t'acheter si tu avais la morve au nez et que ta veste était boutonnée de travers?

• Ne parle qu'à ceux qui t'adressent la parole—sois poli et réponds aux questions en disant « oui, madame » ou « oui, monsieur ».

• Évite de te gratter—les villageois croiront que tu as des poux et ne voudront pas t'accueillir chez eux.

ÊTRE CHOISI !

Ton ami et toi baissez vivement la tête alors que passe un homme grognon qui manie un bâton de maréchal. Par chance, il passe droit devant et arrive ensuite un couple à la mine réjouie. La femme et l'homme regardent Thomas et affirment qu'il lui faut un bon repas. Ils s'approchent de la dame à la planchette à pince et dressent les documents.

Tu ferais mieux de partir de là rapidement. Non seulement ton nom ne figure pas sur la liste des enfants qu'ils attendent, mais tes vêtements ne portent pas l'étiquette réglementaire. Vite, tu fais tes adieux à Thomas, tu lui souhaites bonne continuation et tu appuies sur la touche « Éjection ».

LA RUÉE VERS L'OR DANS L'OUEST DES ÉTATS-UNIS

Plouf! Tu viens d'arriver en Californie, sur la côte ouest des États-Unis. Voilà pour la bonne nouvelle. La mauvaise, c'est que tu as atterri dans une rivière.

Devant toi se trouve un homme qui tient un tamis à moitié dans l'eau, à moitié à l'extérieur et qui fait tournoyer un peu de boue et de limon. Il regarde attentivement les saletés qui tapissent le fond du tamis.

Soudain, il pousse un cri de joie, lance son chapeau dans les airs et c'est à ce moment que tu te rends compte qu'il y a un objet de valeur au fond du tamis. Une petite pépite de métal scintille dans la vase au fond du tamis. De l'or!

LES PROSPECTEURS D'OR DE 1849

Après avoir sauté de joie, l'homme se présente; il s'appelle Nathaniel. De l'or a été découvert dans cette rivière en mars 1848. Au départ, les gens s'étaient montrés incrédules; ils croyaient qu'il s'agissait d'un stratagème du gouvernement en vue d'inciter la population de l'est du pays à s'établir en Californie. À présent, ils sont des milliers à espérer y faire fortune.

Voilà ce qu'ils appellent «la ruée vers l'or». Les gens semblent avoir perdu la tête, tant ils sont obsédés à l'idée de trouver de l'or. On appelle ceux qui sont venus en Californie «les prospecteurs d'or de 1849», cela marque l'année de leur arrivée. Depuis lors, de nouvelles villes ont poussé comme des champignons.

EN ROUTE VERS L'ELDORADO

Ton ami compte parmi les prospecteurs d'or qui ont de la chance. Il est arrivé ici alors qu'il se trouvait quantité d'or à récupérer dans le sable de la rivière. À l'époque, il en amassait pour 100 $ par jour. Pour venir ici en compagnie de sa famille, il a vendu tout ce qu'il possédait : sa maison, son mobilier et même son chien. Nathaniel et les siens ont parcouru plus de 3200 kilomètres (environ 2000 milles) d'un bout à l'autre du continent par une chaleur accablante.

À présent, Nathaniel se rend compte que les pépites d'or sont plus rares. Il s'en trouve de moins en moins. Sa découverte d'aujourd'hui est la première en plusieurs semaines. Mais davantage de chercheurs d'or arrivent chaque jour. Ceux-ci consacrent jusqu'à 10 heures par jour, les pieds dans l'eau glacée, à tamiser la vase, mais en vain.

FAIRE FORTUNE

En même temps que les chercheurs d'or—que l'on appelle « prospecteurs »—sont arrivés marchands et escrocs. Ils s'attirent le mépris de la population. Ils s'enrichissent en acquérant tout le matériel nécessaire à la prospection et en le revendant plusieurs fois le prix qu'ils l'ont payé. D'autres exigent des sommes extraordinaires pour la nourriture et les fournitures. Les prospecteurs qui ne trouvent pas d'or ne peuvent débourser ces sommes exorbitantes. Certains meurent même de faim.

L'OR ET LA POUSSIÈRE

Nathaniel n'est pas trop découragé. Un autre prospecteur venu comme lui en 1849 a trouvé une pépite d'or de la taille d'un œuf de dinde à l'endroit même où tu te trouves en ce moment, selon ses dires. Il te présente un tamis et te montre comment laver le sable pour y trouver de l'or.

1. Dépose au fond du tamis un mélange de saletés, de gravier et de vase qui se sont agglomérés sur les rives du cours d'eau.

2. Plonge lentement le tamis sous la surface afin que l'eau y afflue. Sors-le de l'eau et, à l'aide des mains, défais toutes les mottes de vase dans l'espoir d'y trouver une pépite.

3. Laisse égoutter l'eau et écarte les brindilles et les cailloux. Fais basculer le tamis sous la surface de l'eau afin de l'emplir de nouveau.

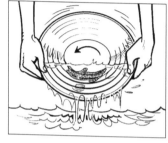

4. À présent, fais tournoyer le tamis à proximité de la surface de l'eau. L'or est lourd; il devrait donc se retrouver au fond du tamis. Use de précautions et veille à ne pas éclabousser la vase.

5. À mesure que tu le remues et qu'il devient plus léger, le tamis devrait remonter à la surface. Sors-le de l'eau et fais-le basculer par-devant. L'eau s'écoulera en bordure du tamis et fera remonter à la surface le limon plus léger. Le

cas échéant, les pépites d'or se trouveront au fond du tamis.

Tu fais tournoyer le tamis et le bascules pendant ce qui te semble des heures. Nathaniel rince son tamis et le plonge de nouveau dans le sable. Tu t'apprêtes à faire de même lorsque... tu aperçois quelque chose qui scintille au fond de ton tamis. Elle n'a pas la taille d'un œuf de dinde, mais c'est bien cela : tu as trouvé une pépite d'or!

Malheureusement, Nathaniel fait valoir son droit sur tout l'or trouvé dans ce bras de la rivière. Cela signifie que l'or que tu as trouvé lui appartient. En échange de ton aide, il te donne une part de la tarte aux pommes que son épouse a confectionnée. Miam-miam!

LE RAMONAGE D'UNE CHEMINÉE À L'ÉPOQUE VICTORIENNE

Attention! Une calèche tirée par deux chevaux vient dans ta direction à toute allure. Tu bondis vite sur le trottoir et tu jettes un coup d'œil autour de toi. Tu te retrouves dans une rue de Londres sous le règne de la reine Victoria.

Tu vois d'élégantes maisons mitoyennes des deux côtés de la rue, auxquelles on accède par des escaliers. Ces demeures ont quatre ou cinq étages et sont entourées de clôtures lissées en fer forgé pour empêcher les étrangers de s'y aventurer.

En plus de l'escalier qui conduit à l'entrée principale, tu en aperçois d'autres qui conduisent à des portes moins somptueuses.

De l'une des portes secondaires, tu vois sortir un homme. Il est accompagné de deux garçons quelque peu plus jeunes que toi. Ils sont très maigres et vont pieds nus. Leur visage est noir de suie et tu vois que leurs yeux sont rougis et humides. La rue est fréquentée par beaucoup de passants et chacun semble pressé, mais tu te fais du souci pour ces garçons et tu décides d'aller leur parler.

ESCALADE SUR LES TOITS DE LONDRES

De toute évidence, le plus petit des garçons vient de pleurer et l'autre tente de le rassurer. Tu leur demandes ce qui ne va pas et tu apprends qu'ils sont frères et qu'ils sont grimpeurs, c'est-à-dire ramoneurs de cheminées. Ils viennent de nettoyer les cheminées de la maison d'où ils sortent.

Le cadet rechigne, car ses pieds lui font si mal qu'il a peine à marcher. Son aîné lui explique que c'est sa faute. Il raconte que, pendant qu'ils travaillaient, leur maître s'est plaint de ce qu'ils mettaient trop de temps à faire la besogne. L'aîné a dû remonter à l'intérieur de la cheminée pour presser le petit de se hâter. Dans le but de l'inciter à travailler plus vite, il a percé d'épingles brûlantes la plante de ses pieds. Pire encore, ils sont en retard chez leur prochain client, leur maître est furieux et il fera une retenue sur leurs gages.

Cédant à un élan de sympathie pour les deux frères, tu proposes de les aider. Tu es un peu plus jeune que le cadet et tu lui offres de ramoner la cheminée à sa place. Le petit cesse de pleurer, trop heureux de céder sa place et l'aîné s'empresse de te donner quelques conseils.

CONSEILS POUR RAMONEUR EN HERBE

• Ne frappe pas à la porte principale des grandes demeures comme celles qui bordent cette rue. On te demandera de passer par l'entrée de service. Les clients n'aiment pas que des ouvriers noirs de suie laissent des traces dans la maison.

• Lorsque tu es à l'intérieur de la maison, ne touche à rien sauf à la cheminée. Bien sûr, tu ne veux rien salir, mais tu ne voudrais pas non plus que l'on t'accuse de vouloir voler quelque chose. Le cas échéant, on t'enfermerait dans une affreuse prison victorienne.

• Dépose de nombreuses feuilles de papier autour de la cheminée. La suie tombera dessus. Si tu fais un gâchis, tu seras puni et l'on pourrait t'obliger à nettoyer la prochaine cheminée nu comme un ver!

• Lorsque tu es à l'intérieur d'une cheminée, tiens la brosse d'une main et aide-toi de tes coudes et de tes genoux pour t'agripper aux briques et grimper. Remue un coude ou un genou à la fois et brosse les briques au-dessus de ta tête.

• Travaille le plus vite possible, sinon on enverra ton camarade te percer la plante des pieds à l'aide d'épingles brûlantes.

• Ne te plains jamais. Ces garçons sont chanceux d'avoir du travail. Orphelins, ils n'ont nulle part où aller et mourraient de faim dans la rue. À l'époque victorienne, des enfants de cinq ans travaillent aux usines et aux mines.

CONSIGNES RELATIVES À LA SANTÉ

• La surface intérieure d'une cheminée est émaillée de bouts de briques sur lesquels tu risques de t'érafler les coudes, les genoux et les pieds. Si la suie et la saleté pénètrent les entailles et les écorchures, elles peuvent s'infecter et suinter du pus.

• Essaie de garder les yeux fermés. Sinon, ils deviendront vite irrités à cause des produits toxiques que l'on trouve dans la suie, ce qui entraînerait des démangeaisons.

• Cherche à prendre ta retraite à un jeune âge. Le ramonage de cheminées entraîne de nombreux risques pour la santé. La suie provoquera des lésions à tes poumons et ton visage sera sans cesse barbouillé. Déplacer de lourds sacs de suie te donnera mal au dos et courbera tes épaules. Lorsque tu grandiras, tu auras du mal à grimper à l'intérieur des cheminées et tu seras peut-être trop mal en point pour trouver un autre travail.

• Après avoir ramoné une seule cheminée, tu constates qu'il ne s'agit pas d'un métier fait pour toi et que le moment est venu de t'en aller. Tu reviens dans le présent afin de te plonger dans un bain bien chaud. Dommage que tes deux amis ne puissent faire de même!

UNE COMPÉTITION AUX JEUX OLYMPIQUES EN GRÈCE ANTIQUE

Tu te trouves sur la piste de course d'un stade immense dont les gradins sont pleins à craquer de spectateurs. C'est le premier jour des olympiades. Il s'agit de la plus grande rencontre sportive de la Grèce antique et elle est célébrée en l'honneur de Zeus, le roi des dieux grecs.

Au même titre que les Jeux olympiques modernes, les olympiades se déroulent tous les quatre ans dans la ville d'Olympie. L'importance de cette manifestation est telle que les villes qui sont en guerre font une trêve afin que les athlètes puissent s'y rendre en toute sûreté.

UNE FORME ATHLÉTIQUE

Non sans nervosité, tu fais la file avec un groupe de garçons de ton âge et de ta taille. Ils s'échauffent en vue d'un sprint de 192 mètres (environ 192 verges) d'une extrémité du stade à l'autre.

Les Grecs de cette époque accordent une grande importance à la forme physique et à la santé du corps et de l'esprit. Tous les garçons pratiquent l'athlétisme et ceux-ci appartiennent à l'élite. Voilà des mois qu'ils s'entraînent à la palestre, un gymnase où l'on s'exerce à la lutte. Ils ont fait un régime alimentaire sain et n'ont pas ménagé leurs efforts. Tu auras à affronter une rude concurrence.

Voici quelques conseils alors que tu attends le signal de départ.

• Ne te laisse pas démonter par la peur. Elle s'envolera aussitôt que tu commenceras à courir. La peur est le fruit de ton organisme qui produit une substance chimique appelée adrénaline. Elle est entièrement naturelle et te donnera une dose supplémentaire d'énergie alors que tu parcourras le stade.

• Ne t'inquiète pas si tu n'as pas de chaussures de course. Regarde autour de toi. Personne n'en porte; en fait, ils ne portent rien du tout! En Grèce ancienne, les garçons et les hommes s'entraînent à la palestre sans aucun vêtement. Alors, déshabille-toi et prépare-toi à courir.

• Essaie d'oublier les clameurs de la foule et visualise les différentes étapes de la course. Imagine que tu es très rapide et songe aux sentiments qui t'envahiront lorsque tu franchiras le fil d'arrivée.

LA SUITE DES CHOSES

Cependant, tu ne dois pas escompter une médaille. Les anciens Grecs ne décernaient pas de médailles. Les gagnants

des différentes épreuves recevaient une couronne faite de branches d'olivier.

Ces mêmes gagnants sont considérés comme des héros et sont accueillis par des foules en liesse lorsqu'ils retournent à leur village ou à leur cité. Entre-temps, pendant la durée de ton séjour à Olympie, tu auras droit à des banquets et à des places de choix au théâtre, offertes gracieusement par les organisateurs. Il se peut même que l'on dresse une statue en ton honneur.

EN ATTENDANT LE PODIUM

Si tu remportes l'une des courses, tu devras attendre avant de recevoir ton prix, car les olympiades s'étalent pendant cinq jours et les récompenses sont toutes décernées à la fin.

Voici quelques-unes des choses que tu peux faire en attendant.

• Quelle meilleure manière de passer le temps que d'assister à une ou deux courses de chars? Certains sont tirés par deux chevaux et d'autres par quatre. Il y a également des courses de charrettes tirées par des mulets. Les courses de chars peuvent opposer jusqu'à 40 conducteurs qui s'affrontent pour la première place en 12 périodes. Il serait toutefois préférable que tu ne prennes pas place au premier rang pour y assister. Les accidents sont fréquents et il est inutile de risquer d'être piétiné par un cheval qui s'emballe.

• Pourquoi ne pas assister à un combat de boxe si tu aimes l'action? Les boxeurs grecs ne portent pas de gants comme ceux d'aujourd'hui; ils enroulent leurs mains de bandes de cuir et ne laissent que leurs doigts à l'air libre.

Les combats de boxe ne sont pas divisés en rounds. Chaque combat se poursuit jusqu'à ce que l'un des opposants renonce ou perde connaissance. Surveille un boxeur du nom de Théagène de Thasos, on dit qu'il sera champion de ces olympiades. À l'âge de neuf ans, il était si fort qu'il est parvenu à déboulonner la statue de bronze d'un dieu et à l'emporter chez lui.

RÉSERVÉ AUX GARÇONS

Navré, les filles. Les olympiades de l'Antiquité sont l'affaire des garçons. Les filles n'ont même pas le droit d'assister aux épreuves sportives et celles qui s'y risqueraient seraient sévèrement punies.

Par contre, un autre concours gymnique, donné celui-là en l'honneur de Héra, l'épouse de Zeus, se tient tous les quatre ans à Olympie. Ce sont les Héraia qui offrent aux femmes de la Grèce antique la possibilité de démontrer leurs aptitudes. Pendant les épreuves, elles portent des tuniques à hauteur des genoux, drapées à l'épaule gauche.

LA PEINTURE RUPESTRE À LA PRÉHISTOIRE

Il fait noir comme dans un four. Tu ne vois rien et tu n'as aucune idée de l'endroit où tu te trouves. Par chance, tous les combinés de téléportation sont dotés d'un dispositif d'éclairage en cas d'urgence. Tu actives l'interrupteur et soudain la pièce est inondée de lumière. Mais il ne s'agit pas d'une pièce. Tu te trouves à l'intérieur d'une grotte immense. Sur l'une de ses parois sont peints deux grands taureaux blancs.

Tu pénètres un peu plus à l'intérieur de la grotte et tu aperçois, sur tous les murs, des représentations rudimentaires de grands animaux. Tu vois de la lumière droit devant. Marche en direction de la lumière et tu entreras dans une autre grotte d'environ 30 mètres (un peu moins de 100 pieds) de longueur. Il s'y trouve quelqu'un qui s'occupe à esquisser un cheval qui s'enfuit au galop sur la paroi.

Tu es dans la grotte de Lascaux dans les Pyrénées, en France, à l'intérieur de laquelle se forme un réseau de cavernes et de tunnels où se trouvent les peintures de l'âge de la pierre qui deviendront les plus célèbres. La galerie à l'intérieur de laquelle tu te trouves est aujourd'hui connue comme le cabinet des peintures et ses murs font 3,5 mètres (11 ½ pieds) de hauteur.

LA CHAPELLE SIXTINE DE LA PRÉHISTOIRE

Les scintillements proviennent d'une lampe de grès dont une extrémité a été évidée. Le peintre y a déposé une matière combustible qui jette de la lumière et lui permet de travailler dans la clarté.

Les peintures sont toutes exécutées dans les tons de marron, noir, rouge et gris. Le peintre emploie des couleurs fabriquées à partir de minéraux et de substances naturelles.

Certains types de pierres contiennent quantité d'oxyde de fer, qui confère au rouge une nuance feuille-morte. Les pierres qui contiennent de l'oxyde de manganèse font un noir profond. Le peintre te montre comment il moud les pierres afin de les réduire en poudre avant de les diluer dans l'eau ou la graisse pour pouvoir les appliquer sur la paroi de la grotte.

PEINS TON PROPRE CHEF-D'ŒUVRE !

L'artiste te remet son matériel de peinture et c'est à toi de peindre un mammouth sur la paroi rocheuse.

Matériel nécessaire :
- du papier • un crayon à mine de plomb
- des crayons de couleur à la cire
- une tasse de thé bien fort • un pinceau large

En premier lieu, esquisse ton dessin sur le papier à l'aide d'un crayon à mine de plomb. Ne te fais pas de souci si tu n'es pas un grand dessinateur. Les peintures rupestres sont plutôt rudimentaires. Le plus ton dessin sera simple, le plus il semblera authentique. Pourquoi ne dessinerais-tu pas un mammouth à partir de ces quatre étapes!

1. Trace d'abord le contour de l'animal — une bosse pour sa tête et une autre pour son dos (à la manière d'un « M » aux formes arrondies).

2. Ajoute la trompe du mammouth et sa gueule. N'oublie pas la longue fourrure qui frôle le sol.

3. Par la suite, dessine une oreille, un œil et une défense...

4. … et, enfin, ses pattes.

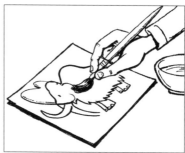

À l'aide d'un pinceau large, couvre le papier de thé froid afin de donner au dessin une patine ancienne. Tu dois voir le dessin à travers la couche de thé. Le papier se froissera, mais cela importe peu.

À présent, tu peux colorier le mammouth avec les crayons de couleur à la cire. Les peintres préhistoriques ne disposaient pas d'une large palette de couleurs; aussi, tiens-t'en aux rouges, aux jaune orangé, aux marron et aux noirs pour conférer plus d'authenticité à ton dessin.

Conseil : Pourquoi ne pas travailler à plus grande échelle? Procure-toi du papier de garde et dessine sur un mur de ta chambre une longue suite d'animaux. Ajoute plusieurs chasseurs qui brandissent des lances. Ne dessine pas sur le mur. Ce pourrait être la meilleure manière de revivre l'expérience des hommes des cavernes, mais ta mère serait plus en colère qu'un mammouth dont le flanc est percé d'une lance.

LA MISE AU POINT DE LA GRANDE ÉVASION

Tu te retrouves à l'intérieur d'une baraque en bois, entouré d'hommes. Ils se sont blottis les uns contre les autres et chuchotent. Tu es en Allemagne, au cours de la Seconde Guerre mondiale, dans un camp de prisonniers. Les hommes qui t'entourent appartiennent aux forces aériennes britanniques et ils s'apprêtent à prendre part à une évasion audacieuse.

Un sentiment d'urgence se dégage d'eux. Tu le sens aux mots échangés sur le ton de la conspiration, à la crainte que tu lis dans les yeux des hommes du guet à l'affût des soldats allemands.

SIX PIEDS SOUS TERRE

Les Allemands croient qu'il est impossible de s'échapper de ce camp baptisé Stalag Luft III. Ils ont tort. Soixante-seize prisonniers s'apprêtent à s'évader à l'intérieur d'un tunnel creusé sous les pieds des Allemands.

Devant toi, une ouverture béante a été percée à même le sol. Les uns après les autres, les hommes s'y engouffrent aussi vite qu'ils le peuvent. Il leur a fallu plusieurs mois pour mettre au point tous les détails de cette évasion. À présent, le moment est venu de mettre leur plan à exécution. En moins de temps qu'il n'en faut pour le dire, c'est à toi de te glisser à l'intérieur de l'ouverture. Tu prends part à la grande évasion!

PLAN MIS À EXÉCUTION

Le cerveau derrière cette évasion est un homme qui se fait appeler *Big X*. Il a formé des équipes de prisonniers qui ont creusé trois tunnels. Chaque tunnel portait un nom : Tom, Dick et Harry.

Les Allemands ont appris que les prisonniers creusaient et ont découvert un tunnel, Tom. Toutefois, ils n'ont pas trouvé Dick ou Harry.

Harry est le tunnel choisi pour l'évasion. Il s'échelonne sur plus de 100 mètres (un peu plus de 100 verges) sous le camp. Son entrée est dissimulée sous le poêle de l'une des baraques où dorment les prisonniers, la baraque n° 104.

Les hommes qui ont percé le tunnel ont dû creuser très profondément afin de tromper les appareils de détection sonore que les Allemands ont installés autour de l'enceinte. Ils ont prévu des murs de soutènement en «T» pour empêcher l'effondrement des galeries. Le bois nécessaire a été prélevé à même les lits superposés des prisonniers. Il a fallu 4000 planches et, vers la fin des travaux, personne ne parvenait à fermer l'œil de la nuit.

Les prisonniers ont en outre installé des conduits d'aération à l'intérieur des tunnels afin que ceux qui s'y risqueront ne meurent pas asphyxiés. Pour ce faire, ils ont réuni bout à bout des conserves de lait en poudre.

Ils pouvaient creuser jusqu'à six heures d'affilée. Au départ, ils travaillaient en gilets et en caleçons longs mais, dans l'humidité des galeries, leurs vêtements devenaient détrempés et sentaient mauvais. À la fin, ils ont décidé qu'il valait mieux ne rien porter.

DIFFICULTÉS TECHNIQUES

L'un des prisonniers t'explique que la principale difficulté a été de se débarrasser discrètement du sable que l'on sortait des galeries au moment du forage. Auparavant, les Allemands avaient découvert que des tunnels avaient été percés à cause du sable blanc répandu sur le sol gris foncé de l'enceinte. Cette fois, il a fallu dissimuler 230 tonnes métriques (230 tonnes impériales) de sable.

Enfin, les auteurs du plan ont mis au point une méthode ingénieuse afin de se débarrasser de près de la moitié du sable. Des hommes dits « pingouins » dissimulaient sous chaque jambe de leur pantalon des sacs en forme de saucisse taillés dans des serviettes. Ces sacs d'un demi-mètre (20 pouces) de longueur étaient emplis de sable et suspendus par une courroie au cou des prisonniers.

Le prisonnier, qui portait souvent un pardessus afin de dissimuler les sacs volumineux, allait à la rencontre d'un camarade d'infortune qui travaillait au potager. Les deux pieds dans la terre, il vidait les sacs de leur sable et le jardinier s'empressait de couvrir de terre le sable blanc.

LE NERF DE LA GUERRE

À présent que le moment de l'évasion est venu et que le plan est en marche, les prisonniers sont nerveux et tendus. Ils ont le sentiment que le temps joue en leur défaveur. Jamais il n'a fait

aussi froid en mars ces trente dernières années et la trappe au bout du tunnel est glacée, ce qui ralentit les choses.

Ils creusent le dernier demi-mètre (environ 20 pouces) sous la surface pour se rendre compte qu'ils sont à 3 mètres (environ 10 pieds) de l'orée de la forêt. Le risque est grand que des hommes soient repérés alors qu'ils courent sur le terrain découvert en direction des arbres. C'est alors que quelqu'un a une idée astucieuse. Avec des moyens de fortune, ils fabriquent une corde qui s'étale entre les arbres et l'intérieur du tunnel. Un prisonnier se cachera derrière les arbres. De son poste d'observation, il verra les sentinelles allemandes qui feront le guet. Il donnera un petit coup sur la corde au moment où chaque prisonnier pourra courir entre le tunnel et l'orée de la forêt. Deux petits coups signifieront qu'il devra rester terré à l'intérieur du tunnel.

Quelques-uns sont pris de panique à l'intérieur du tunnel parce que l'attente leur semble trop longue. L'un d'eux heurte la paroie du tunnel par inadvertance; un soutènement de sa valise et un tas de sable coulent dans la galerie. C'est alors que les appareils d'éclairage cessent de fonctionner et que tous se retrouvent dans l'obscurité la plus épaisse.

Malgré ces incidents, tu comptes 76 hommes qui s'échappent par le tunnel et qui amorcent leur longue marche vers la liberté. Tu leur souhaites bonne chance au moment où ils se dispersent dans toutes les directions, puis tu appuies sur la touche « Éjection ».

LA DÉFENSE D'UN CHÂTEAU MÉDIÉVAL

Tu te retrouves dans un équilibre précaire sur le haut mur du château de Hawarden, au pays de Galles. Un soldat t'aide à en descendre, mais alors que tu t'empresses de le remercier, tu te rends compte de la gravité de la situation. Le château, posé au sommet d'une colline, est assiégé. Les hommes armés d'épées d'un prince gallois du nom de Llewelyn II Ap Gruffydd ont entouré le château et l'attaquent avec acharnement.

Le soldat qui t'a aidé à descendre raconte que ses compagnons d'armes et lui combattent les Gallois depuis plusieurs années, depuis 1067 à vrai dire. Les Normands ont conquis les îles anglaises en 1066, lors de la bataille d'Hastings. Par la suite, ils ont érigé des châteaux à la frontière du pays de Galles, sans toutefois parvenir à conquérir les Gallois. Leur échec est attribuable au relief montagneux et sauvage du pays et à la férocité des guerriers gallois.

APPEL AUX ARMES

Ce n'est que récemment, en 1277, sous le règne du roi Édouard 1er, que la conquête du pays de Galles s'est achevée. Afin de sceller sa victoire et d'assurer sa mainmise sur les terres, le roi Édouard a fait ériger plusieurs châteaux imposants, dont celui-ci. Malheureusement, les Gallois sont toujours en colère et se révoltent sans cesse contre les envahisseurs. Il s'agit de leur soulèvement le plus violent à ce jour.

Le soldat place une arbalète entre tes mains et te conseille de te préparer à livrer bataille. De chaque côté de toi se trouvent des hommes armés d'arcs et de flèches, d'arbalètes ou de sacs de cuir contenant des pierres.

Alors que l'armée ennemie grimpe à l'assaut de la colline, le soldat t'enseigne à tirer avantage de la forme du mur.

Le haut du mur est bordé d'une suite d'ouvertures carrées appelées «créneaux». Les soldats anglais peuvent décocher leurs flèches à travers ces ouvertures et se protéger ensuite derrière les blocs des remparts. Des ouvertures verticales et allongées percent également les murs des tours; ce sont des meurtrières qui servent à tirer sur les assaillants sans que ceux-ci ne puissent atteindre les défenseurs de la forteresse.

Entre deux tirs de flèches, le soldat raconte que le combat fait rage depuis plusieurs jours. Roger de Clifford détient le château et les hameaux environnants au nom du roi. Il a battu en retraite et s'est installé avec sa famille et ses domestiques dans le donjon, soit la tour qui domine la forteresse et qui sert en outre de point d'observation.

Le donjon est l'endroit le plus sûr qui soit. A l'intérieur se trouvent suffisamment de victuailles et d'eau pour subsister pendant plusieurs semaines.

Ton ami te félicite pour ton maniement adroit de l'arbalète, mais indique que l'armée galloise gravit la colline en direction des remparts du château en portant un lourd bélier. Les soldats ont l'intention d'enfoncer l'imposant portail de bois. Tu sembles inquiet, mais ton ami ne semble pas trop soucieux. Il désigne les remparts au-dessus du corps de garde où l'on a mis à bouillir une énorme marmite d'eau. À même le sol de cet endroit se trouvent des ouvertures par lesquelles on évacuera l'eau bouillante. Aussitôt que les assaillants s'approcheront de trop près, ils seront ébouillantés.

Par la suite, l'armée galloise fait appel à de gigantesques catapultes, appelées *trébuchets,* à l'aide desquelles elle lance de grosses pierres contre les murs extérieurs. Peu après, les soldats ennemis envahissent le château par les brèches laissées par les pierres. Tu trouves la situation trop périlleuse, d'autant qu'une flèche siffle à proximité de ton oreille, alors tu décides d'appuyer sur la touche « Éjection » et de rentrer chez toi.

SECRETS DE LA FABRICATION D'UN
CASQUE DE SOLDAT MÉDIÉVAL

Essaie de fabriquer un casque de soldat médiéval! Il te sera utile la prochaine fois que tu défendras une forteresse assiégée.

Matériel nécessaire :
- un grand carton argent • des ciseaux
- du ruban adhésif • un crayon • une règle
- de la ficelle • un bocal de confiture en verre

1. Mesure ton tour de tête à l'aide de la ficelle. Pour ce faire, pose une extrémité sur ton front, quelque 2 centimètres (¾ pouce) au-dessus de tes sourcils et enroule la ficelle autour de ta tête jusqu'à ce qu'elle revienne à son point de départ. Saisis la ficelle à l'endroit où elle croise le point de départ et mesure sa longueur à l'aide de la règle. Note bien la longueur de la ficelle.

2. Prends le carton et pose-le devant toi sur son envers dans le sens de la longueur. Mesure la longueur que tu as notée à partir du bord gauche du carton et indique-la visiblement.

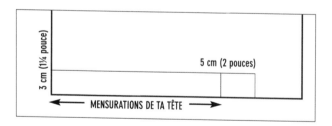

3. Fais une marque à 3 centimètres à partir du bord du carton qui se trouve près de toi. Elle te servira ensuite à tracer un rectangle de 3 centimètres sur la longueur de la ficelle.

4. Fais une marque à 25 centimètres (environ 10 pouces) au-dessus de la ligne de 3 centimètres. Divise l'espace en cinq rectangles égaux (ne tiens pas compte de l'attache de 5 centimètres).

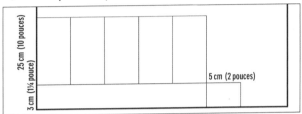

5. Prends la règle et pose-la sur la ligne que tu viens de tracer, le plus loin qui soit de la bordure inférieure du carton. Fais une marque qui indique le point médian de chacun des cinq rectangles.

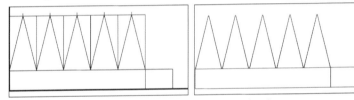

6. À présent, prends la règle afin de tracer des lignes qui réunissent les angles de chaque rectangle sur la ligne de 3 centimètres, et les points médians des rectangles sur la ligne de 25 centimètres. Tu obtiendras ainsi cinq formes triangulaires. Découpe ton casque ainsi qu'on le voit ci-dessus et conserve le carton qui reste en vue d'un usage ultérieur.

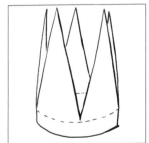

7. Ensuite, enroule le découpage de manière à former une couronne (le côté argenté du carton doit être à l'extérieur).

8. Ajoute 5 centimètres (2 pouces) supplémentaires à la droite du rectangle. Ils feront une patte qui servira à fixer en place la bordure du casque.

9. Prends le bocal de confiture et pose son goulot sur l'envers du reste de carton. Trace un cercle à l'aide d'un crayon et découpe-le.

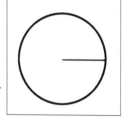

10. Indique le milieu du cercle et découpe une ligne droite entre le périmètre du cercle et le point milieu. Courbe le cercle de carton de manière à façonner un cône et assujettis-le à l'aide de ruban adhésif.

11. Sur un reste de carton, trace un rectangle qui fait 20 centimètres (8 pouces) sur 3 centimètres (1 ¼ pouce) et découpe-le. Il servira à te protéger le nez.

12. Prends ton casque et courbe précautionneusement tous les triangles jusqu'à ce qu'ils se rejoignent au centre de manière à former une coupole. Réunis-les avec du ruban adhésif. Ne te préoccupe pas de l'apparence de ces raccords; tu ne les verras plus lorsque tu auras terminé.

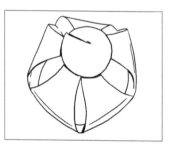

13. Pose le cône sur la cime de ton casque et assujettis-le à l'aide de ruban adhésif. Il doit couvrir les pointes des triangles afin de renforcer le casque.

14. Ton casque est presque achevé. Prends le rectangle de carton et plie-le en deux sur le sens de la longueur, de sorte que les deux bords bruts se rencontrent. Déplie-le. Une arête devrait s'être formée au milieu. Colle le rectangle sous la bordure du casque à l'aide de ruban adhésif.

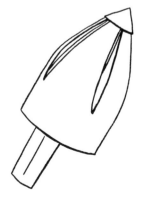

LA TRAGÉDIE EN COMPAGNIE DE SHAKESPEARE

Devant toi paraît un homme à la barbiche pointue et à la moustache en croc. Il fait les cent pas, s'arrache les cheveux et marmonne à voix basse. Tu te trouves à l'arrière-scène du théâtre le Globe à Londres et l'homme devant toi n'est nul autre que William Shakespeare, qui deviendra le plus grand dramaturge de tous les temps.

Pour le moment, toutefois, Shakespeare est sur des charbons ardents. Au milieu de la représentation de l'une de ses œuvres, l'un des acteurs est sorti de scène en courant. Le garçon a le teint verdâtre, il est plié en deux et gémit parce qu'il a trop mangé de tourte à l'anguille.

LA REPRÉSENTATION DOIT SE POURSUIVRE

Au même instant, William t'aperçoit et décide que tu remplaceras au pied levé l'acteur malade. Le temps de le dire, il te remet une copie du texte et te prodigue quelques conseils sur le métier de tragédien.

• Parle d'une voix forte. Les spectateurs assis au balcon se trouvent loin de la scène. Si tu inspires à partir de ton nombril et que tu emplis tes poumons d'air, ta voix sera plus forte et portera plus loin sans que tu aies besoin de crier.

• Énonce clairement. Prononce chaque mot avec plus de précision que d'ordinaire. Si tu parles trop vite ou si tu n'articules pas, le public ne comprendra pas ce que tu dis et s'ennuiera.

• Regarde autour de toi. Le théâtre le Globe est disposé en cercle et les spectateurs encadrent trois côtés de la scène. Tu dois donc te déplacer afin que chacun puisse te voir.

Si tu suis ces conseils, avec un peu de chance, les quelque 3000 spectateurs qui sont dans la salle ne s'ennuieront pas. Dans le cas contraire, méfie-toi. Le public élisabéthain, bruyant et chahuteur, aime bien jeter des choses sur la scène. Si tu aperçois de la nourriture qui vole dans les airs, baisse-toi vivement, à défaut de quoi tu pourrais recevoir un navet pourri sur la tête.

COMBAT SIMULÉ

William Shakespeare a écrit des pièces de théâtre qui parlent d'amour, de guerre, de sorcières, de meurtres, de fantômes et de naufrages—autant de sujets susceptibles de capter l'attention des spectateurs. Il adore mettre en scène des combats et des batailles. Son chef-d'œuvre intitulé *Macbeth* comporte une fameuse scène de combat. William te confie vite comment simuler un combat afin que tu puisses participer à la représentation en cours.

Chaque geste d'une scène de combat est chorégraphié et on répète chaque scène à maintes et maintes reprises. Voici quelques conseils du grand William Shakespeare. Répète en compagnie d'un ami.

1. Armez-vous. Au cours d'un combat simulé, il importe qu'aucun des protagonistes ne se blesse. Alors choisissez-vos armes avec soin. Les longs rouleaux de carton autour desquels on enroule le papier d'emballage font très bien l'affaire.

2. Décidez de l'enjeu du combat. Ce sera le ressort de l'action. L'un de vous peut être le roi et l'autre un vilain qui convoite sa couronne, ou vous pourriez être des pirates qui se battent pour un trésor.

3. Trouvez un lieu de répétition, par exemple un jardin ou un parc et commencez à mettre le combat en scène.

4. Cherchez à divertir les spectateurs. Si vous ne faites que croiser les épées, les spectateurs s'ennuieront. Déplacez les meubles, bondissez d'un endroit à l'autre. Employez des accessoires; l'un de vous pourrait laisser échapper son épée et se voir contraint de livrer combat armé d'autre chose. Faites preuve d'imagination!

5. Lorsque vous avez établi la suite de mouvements à déployer, répétez-les au ralenti jusqu'à ce que chacun connaisse par cœur ce qu'il a à faire. Augmentez peu à peu le rythme et livrez combat à la vitesse réelle.

Conseil : N'oubliez pas les effets sonores. Les grognements, les halètements et les cris ajoutent au réalisme. Afin d'ajouter à l'authenticité de la scène, lancez des mots tels que «navré!» ou «je suis mort!». Il faut étirer le plus possible la scène où meurt le héros.

LIVRER COMBAT AUX CÔTÉS DES SAMOURAÏS

1287 apr. J.-C.

Les deux hommes qui sont devant toi semblent féroces et terrifiants; vêtus d'une étrange armure et coiffés de casques larges, ils brandissent une longue épée incurvée. Ce sont des samouraïs, ces guerriers japonais de l'époque féodale qui ont dirigé le Japon pendant sept siècles. Les samouraïs sont considérés comme les meilleures lames qui ont existé. Heureusement pour toi, ils observent un code de conduite très rigoureux qui leur interdit d'attaquer un garçon téléporté depuis une autre époque, qui n'est pas armé et qui est beaucoup plus petit qu'eux!

Tes nouveaux amis samouraïs sont d'une grande politesse. Ils font la révérence et te présentent leurs magnifiques épées afin que tu les examines.

L'épée d'un samouraï est un *katana* et sa fabrication peut demander plusieurs mois. Elle est faite d'acier chauffé que l'on

plie à maintes reprises afin que la lame soit longue et souple. Par conséquent, elle a une grande valeur. Le détenteur d'une épée lui donne un nom, par exemple « vague ondulante » ou « fleur de cerisier ». Les noms sont inspirés de la ligne sinueuse gravée à la lame de chaque épée, là où les strates d'acier, que l'on appelle *ligne de trempe* ou *hamon* sont réunies. On dit que ces lames sont très fines et qu'elles peuvent trancher un homme à une vitesse telle qu'il continuera de marcher quelque temps avant de s'écrouler.

Les deux guerriers te convient à une séance d'exercices. Ils sont si agiles et se déplacent si vite que tu as peine à les suivre du regard. Les sons métalliques, les sifflements qui cinglent l'air, les bruits tranchants qu'émet leur épée envoient un message sans équivoque : tu sais de quel côté te ranger dans l'éventualité d'un combat... le leur.

LAMES JUMELLES

Tu souhaites rester là à les observer, mais un jeune samouraï qui a pratiquement ton âge t'entraîne dans une autre salle. Il étudie un art martial appelé *kendo*, qui signifie littéralement « la voie du sabre » et il est en retard, car son partenaire ne s'est pas présenté; tu consens donc à t'exercer avec lui.

Vous rejoignez un groupe de garçons. Chacun tient un sabre de bambou à l'aide de ses deux mains. Tu saisis un sabre appuyé contre le mur de la pièce et tu prends place là où tu peux voir le maître qui se trouve devant le groupe.

Tu constates que, contrairement aux élèves des classes d'aujourd'hui, chacun a une conduite irréprochable. C'est que les samouraïs observent un code de conduite appelé *bushido*, qui signifie la « voie du guerrier ». Ils attachent beaucoup d'importance à l'obéissance, la discipline personnelle et la bravoure. Ton ami t'apprend que le mot *samouraï* signifie

« celui qui sert », non pas « celui qui murmure et qui fait passer des billets au fond de la classe ».

Le *kendo* se pratique avec un partenaire que l'on appelle *motodachi*. Le groupe se divise en deux et tu te retrouves face à ton ami. Le premier volet de la séance d'exercices s'articule autour d'un cérémonial particulier.

1. Mets-toi face à ton *motodachi*, à environ neuf pas de lui. Tiens ton sabre en bambou (ou *shinai*) du côté gauche si tu es droitier et du côté droit si tu es gaucher.

2. Lève ton sabre à hauteur des hanches et fais trois pas devant, en direction de ton partenaire.

3. Au troisième pas, lève ton sabre et avance-le. Tiens-le de sorte que les pointes s'effleurent presque.

4. Déplace ton pied gauche de telle sorte que tes talons se touchent presque.

5. Fléchis les genoux et assieds-toi sur les talons en écartant les genoux. Ce mouvement de salut est le *sonkyo*.

6. Relève-toi.

Malheureusement, tes genoux font entendre un fort craquement au moment où tu t'assois sur les talons et tu as le fou rire. Le maître semble très contrarié et le moment est venu pour toi de partir. Appuie sur la touche « Éjection ».

LA CONSTRUCTION D'UN DRAKKAR VIKING

Tu te retrouves sur la côte de la Norvège à l'époque des Vikings, ces membres d'un peuple d'explorateurs, de guerriers et de marchands qui ont vécu dans ce que nous appelons à présent la Scandinavie.

Tu sembles te trouver dans une cabane plutôt longue, entouré de plusieurs femmes empressées de terminer leur tâche. Elles cousent de grands carrés de toile afin d'en confectionner un plus grand encore. L'une d'elles te tend une aiguille et du fil. À cet instant, un homme imposant entre dans la cabane et t'épargne la séance de couture.

L'homme, prénommé Olaf, te conduit à l'extérieur où des dizaines d'ouvriers s'affairent à construire un navire magnifique. Il est presque prêt à prendre la mer. Alors qu'il te fait visiter le chantier naval, Olaf te décrit avec précision ce que les ouvriers ont fait afin que tu puisses construire ton propre voilier.

Un drakkar peut mesurer jusqu'à 30 mètres (un peu plus
de 30 verges) de longueur;
aussi, il te faudra abattre un
arbre gigantesque pour faire
sa quille – il s'agit de la poutre
qui va d'une extrémité à
l'autre du ventre du navire. Tu
dois ensuite fixer des planches de bois incurvées à

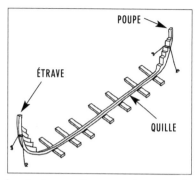

chaque extrémité de la quille afin de former l'avant et l'arrière du
navire, c'est-à-dire l'étrave et la poupe.

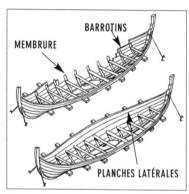

Fixe des planches de soutien,
qui feront la membrure et les
barrotins (qui participeront au
soutien du pont), à angle droit
par rapport à la quille. Pose
de longues planches latérales
qui passerons entre l'étrave et
la poupe et qui feront les côtés
et le fond du navire. Chaque
planche doit chevaucher celle
qui la précède et être fixée à
l'aide de rivets de fer. Ajoute un énorme bloc de bois qui sou-
tiendra le mât.

Pose des planches bien lisses
sur les barrotins pour faire le
pont. Fixe au pont un lourd
morceau de bois en forme de
poisson à l'intérieur duquel tu
engageras la base du mât.
C'est ce que les Vikings appellent un *kløften*. Et pose des
élongis qui retiendront la voile
lorsqu'elle sera abaissée.

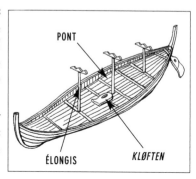

Sur les côtés du navire, perce des trous à l'intérieur desquels passeront les longs avirons. À la poupe, ajoute un aviron de queue. Fabrique quelques disques de bois que tu pourras encastrer dans les orifices pour empêcher l'eau de s'infiltrer à bord lorsque les rameurs actionneront les avirons.

AVIRON DE QUEUE

Afin que ton navire soit en état de naviguer, tu dois calfater sa coque. Procure-toi de la fourrure et trempe-la dans du goudron chaud. Le goudron dégage une vilaine odeur, mais il étanchera la coque du navire. Bouche de cette préparation les interstices et vérifie bien qu'il n'y a pas de jeu entre les planches.

Olaf t'apprend qu'il baptisera son drakkar *Le Dragon de mer*. Il te conduit chez un menuisier adroit chargé de sculpter une tête de dragon effrayante qui tiendra à l'étrave du navire.

Il t'invite à prendre part au voyage, mais le pont sera assurément surchargé avec tous ces grands Vikings présents à bord. Qui plus est, tu n'as pas vraiment envie de manier les lourds avirons qui propulseront le drakkar sur la mer. Aussi, tu leur fais tes adieux depuis la plage et tu appuies sur la touche « Éjection ».

LA CHASSE
AU TYRANNOSAURE

Tes oreilles résonnent à cause du son qu'émet une créature géante, et semble-t-il de mauvaise humeur, en train de fourrager dans les broussailles. Tu regardes l'écran de ton combiné pour constater que tu as été téléporté il y a plus de 70 millions d'années. Tu te trouves dans une forêt humide plantée de conifères, de palmiers et de magnolias imposants, dans une région que l'on appelle aujourd'hui «la formation de Hell Creek», située dans le Montana aux États-Unis. Malheureusement, à l'époque de ta visite, cette région est le lieu de prédilection des grands dinosaures. Soudain, tu te trouves face à face—en fait, ton visage est à la hauteur de ses genoux—avec l'une des créatures préhistoriques les plus féroces et terrifiantes qui n'aient jamais existé : le tyrannosaure.

TÊTE-À-TÊTE AVEC UN LÉZARD GÉANT

Voici quelques précautions élémentaires à prendre afin d'atténuer tes chances de servir de collation au tyrannosaure.

• Ne tente pas de te cacher. Le tyrannosaure a une excellente vision et un odorat très fin. Il te flairera très rapidement.

• Évite les crocs du tyrannosaure. Ses puissantes mâchoires alignent près de 60 dents capables de broyer des os. Les traces de morsures trouvées sur les fossiles d'autres dinosaures montrent que le tyrannosaure peut ouvrir la gueule pour mordre jusqu'à 70 kilogrammes (140 livres) de viande en une bouchée, soit davantage que ton poids!

• Ne laisse pas le tyrannosaure poser la patte sur toi. Un tyrannosaure adulte est fort imposant; il peut faire jusqu'à 14 mètres (13 pieds) de longueur, 6 mètres (5½ pieds) de hauteur et peser près de 7 tonnes métriques (7 tonnes impériales). Même à l'adolescence, un tyrannosaure pèse environ 3 tonnes métriques (3 tonnes impériales).

• Ne cherche pas à te dresser contre lui et à le combattre. Même si, en comparaison de ses membres postérieurs, ses membres antérieurs sont petits, tu n'aurais aucune chance dans une lutte à deux. Ses griffes te mettraient vite K.O.

Certains spécialistes croient que le tyrannosaure se servait de ses pattes antérieures pour tenir ses proies qui se débattaient et tu ne souhaites pas leur donner raison.

• Prends tes jambes à ton cou. Le tyrannosaure se déplace sur ses puissantes pattes postérieures, mais il ne peut courir rapidement. Il manque de force musculaire. Sa vitesse maximale est d'environ 18 kilomètres (11 milles) à l'heure, mais il ne peut la maintenir très longtemps.

• Prends garde à un dinosaure au bec de canard et surtout ne t'en approche jamais. Il s'agit de l'*Edmontosaurus*, le mets préféré du tyrannosaure.

PROMENADE SUR
LA LUNE

Sitôt que tes pieds touchent le sol, tu rebondis pour voltiger de nouveau. Quelque peu inquiet, tu flottes dans l'air. Tu es à l'intérieur d'une sorte d'engin spatial. Tu es en apesanteur et désorienté. Soudain, tu aperçois quelque chose par un hublot. Il s'agit d'un disque immense que tu as vu presque toutes les nuits jusqu'ici, mais jamais d'aussi près : la Lune.

La Lune est si vaste et si près que tu as le sentiment de pouvoir la toucher en tendant la main. Tu te trouves à bord du module lunaire *Eagle* qui s'est détaché de la navette spatiale *Columbia*. C'est un véhicule bizarre en apparence, de couleur argent, jaune et orange, doté de pattes et qui s'apprête à alunir.

À tes côtés se trouvent deux astronautes, Neil Armstrong et Buzz Aldrin, qui seront bientôt les deux premiers hommes à fouler le sol de la Lune.

LEÇON D'EXCURSION LUNAIRE
À PIED POUR DÉBUTANT

La marche sur la Lune n'est pas chose facile. Voici quelques conseils qui t'aideront à t'adapter à l'état d'apesanteur.

• Sur la Lune, ton poids sera six fois moindre qu'il ne l'est sur la Terre, car la force de gravité qui te retiendra à la surface lunaire est inférieure à celle qui s'exerce ici.

• Tu auras plus de mal à trouver ton équilibre sur la Lune et, pour y parvenir, tu devras te pencher quelque peu en avant. Lorsque tu voudras cesser d'avancer, il faudra prévoir quelques pas avant de t'immobiliser.

ALUNISSAGE

Tu as de la chance de pouvoir marcher sur la Lune. Les astronautes et toi avez été contraints de contourner d'énormes rochers et un immense cratère avant de pouvoir poser le module lunaire.

Buzz tente de faire du jogging — il serait plus exact de parler de bonds et rebonds —, mais tu constates que, sur la Lune, la poussière ne se disperse pas en tous sens comme elle le fait sur la Terre. La poussière lunaire se déplace selon une trajectoire précise et ses pas laissent au sol des empreintes nettes. Il n'y a ni vent, ni pluie, ni aucune créature vivante sur la Lune. Les traces des premiers hommes à fouler la Lune seront probablement encore visibles dans quelques millions d'années.

Buzz et Neil ont du mal à planter l'étendard états-unien à la surface de la Lune. Ils ne peuvent creuser profondément sous la surface, alors le mât ne reste pas en position verticale. En fait, il chute sur le sol lorsque décolle le module lunaire et que vous retournez à bord de *Columbia*.

DE RETOUR À BORD DE *COLUMBIA*

Pendant le voyage qui vous ramène à bord de *Columbia*, tu es en apesanteur et tu en profites pour réfléchir à la vie dans l'espace.

• Il faut mettre du temps pour manger. Tu dois assujettir ton plateau-repas à l'une de tes jambes afin de pouvoir manger. Les aliments sont retenus par des griffes de caoutchouc qui les empêchent de flotter dans l'air. Ils sont emballés dans des sachets sous vide, mais lorsque tu en ouvres un, tu dois vite saisir les aliments ou les piquer de ta fourchette pour les empêcher de s'envoler. Tu dois consommer les boissons à l'aide d'une paille.

• L'un des astronautes te conseille de boucler la courroie qui te retiendra à la lunette de la cuvette sanitaire, mais il ne te prévient pas du vacarme que fait la chasse d'eau. Le bruit est attribuable à la succion des déjections qui sont aspirées dans un endroit hermétique.

• Tu as grand plaisir à te laisser flotter, à faire des sauts périlleux et des saltos arrière à l'intérieur de la navette spatiale, mais il est moins amusant d'être malade alors que l'on se trouve en apesanteur.

• Avant de faire un petit somme, tu dois boucler les courroies qui te retiendront à ta couchette. À bord se trouve quantité de matériel très sensible et un cauchemar et un bras battant l'air peuvent faire avorter la mission dans l'espace.

PASSER LE CONCOURS
DE L'ÉCOLE DES GLADIATEURS

L'aube vient de se lever et tu te trouves sur le sol sablonneux d'un *ludus*, une école où l'on forme les gladiateurs dans la Rome antique. Tu es entouré d'hommes en sueur qui portent de lourdes armures et poussent des grognements pendant l'échauffement qui précède un rude entraînement.

Pendant que tu les observes, tu ne remarques pas l'homme plus âgé qui s'approche. Te croyant esclave, il te donne une claque sur l'oreille et t'ordonne de vaquer à tes occupations. Il s'appelle Ferox et est le magister ou maître de l'école. Vite, tu lui expliques que tu souhaites devenir gladiateur. « C'est une rude existence, dit-il en riant. Je sais de quoi je parle; j'ai moi-même été un gladiateur renommé dans mon jeune temps. »

ESCLAVES ET CRIMINELS

La plupart des gladiateurs de ce *ludus* ne s'y trouvent pas de leur propre chef. La majorité des femmes et des hommes sont des esclaves ou des criminels, d'autres sont des prisonniers de guerre. Ils n'ont pas choisi de se trouver là, pas plus qu'ils ne peuvent décider d'en sortir. Un gladiateur ne peut espérer recouvrer sa liberté qu'à la condition de survivre à plusieurs années de durs combats.

Toutefois, tout n'est pas noir. Au *ludus,* on s'occupe assez bien des gladiateurs; on les nourrit et on leur prodigue les soins médicaux dont ils ont besoin. Ils sont très compétitifs et s'effor-cent de gravir les échelons appelés *paloi* afin de devenir *pri-mus palus*, c'est-à-dire le meilleur gladiateur et le plus respecté de tout le *ludus*. Un *primus palus* peut devenir aussi célèbre qu'un champion footballeur l'est de nos jours.

TOUR DE PISTE DANS L'ARÈNE

Aujourd'hui va se dérouler dans l'arène un grand combat de gladiateurs. Ferox te propose de l'accompagner afin de lui prêter main-forte. Au moment où tu entres dans l'arène, les clameurs de 50 000 spectateurs transpercent presque tes tympans. L'organisateur de la compétition sourit et salue la foule en restant juché sur son char qui prend part au défilé. Derrière lui suivent les gladiateurs et les esclaves qui portent leur armure et, enfin, toi. L'homme dont tu portes l'armure a fait carrière dans l'armée; il était soldat et il a été capturé lors d'une bataille. Voilà trois années qu'il combat dans l'arène; aujourd'hui, il livre sa dernière prestation. S'il survit, il recouvrera sa liberté.

Tu suis le gladiateur à l'intérieur d'un couloir qui conduit à une salle sous l'arène. C'est un endroit sombre et terrifiant. Tu entends la foule au-dessus qui réclame la tête de quelqu'un. Le gladiateur que tu accompagnes a choisi une épée à lame incurvée, un bouclier, des protège-jambes et un casque. Il préfère se vêtir légèrement afin de se mouvoir avec plus d'agilité.

Soudain, une trappe s'ouvre au-dessus de ta tête. Les clameurs de la foule sont encore plus fortes. Le dernier combat de ce gladiateur l'opposera à un adversaire féroce qui, dit-on, n'a jamais perdu un combat à ce jour. Tu appuies sur la touche « Éjection », car la situation te semble trop dangereuse.

JOUER AU *PRIMUS PALUS*

De retour dans le présent, tu ferais bien de garder la forme pour le cas où tu te retrouverais à nouveau dans l'arène alors que tu ne t'y attends pas. Trouve un espace libre, par exemple un grand jardin ou un parc et dresse ce parcours en quatre épreuves afin de t'entraîner avec tes amis. Lequel parmi vous deviendra le *primus palus*, c'est-à-dire le meilleur gladiateur?

Matériel nécessaire :
- un minimum de deux participants • un grand drap (que vous pourrez salir sans vous faire réprimander)
- de grosses pierres • six boîtes de céréales vides
- une balle de tennis • une cuiller à soupe • un seau
- un palet ou un sac d'équilibre (un sac de petits pois surgelés peut aussi faire l'affaire) • un chronomètre

Première épreuve : Étends le drap sur le sol et pose une grosse pierre à chaque angle afin de bien l'ancrer. Poses-en d'autres le long de deux côtés opposés afin de le retenir au sol, en prévoyant suffisamment de jeu pour que les gladiateurs puissent se bousculer sous le drap.

Deuxième épreuve : Aligne les six boîtes de céréales en les espaçant de quelque 50 centimètres (20 pouces). S'il vente ce jour-là, emplis les boîtes de roches. Ce parcours de sauts sans élan vise à fortifier les jambes et à accroître l'équilibre.

Les compétiteurs doivent sauter par-dessus chaque boîte en joignant les pieds sans faire un pas de plus et sans renverser les boîtes. Dans le cas contraire, ils doivent tout reprendre au début.

Troisième épreuve : Pose la cuiller et la balle de tennis sur le sol, et le seau à 10 mètres (33 pieds) des deux objets. Cet exercice vise à éprouver la coordination et l'instinct des participants. Marche le plus rapidement possible en direction du seau en tenant la balle de tennis dans la cuiller. Si la balle tombe, tu dois reprendre l'exercice depuis le début. Lorsque tu parviens au seau, tu dois te tourner afin de présenter le dos au seau et tu dois tenter de lancer la balle par-dessus ta tête, de sorte qu'elle atterrisse dans le seau.

Quatrième épreuve : Pose le palet ou le sac d'équilibre (ou le sac de petits pois surgelés) à côté du seau qui a servi à la troisième épreuve. Lorsqu'un gladiateur a réussi à lancer la balle dans le seau, il doit poser le palet ou le sac d'équilibre (ou le sac de petits pois surgelés) en équilibre sur sa tête et courir à reculons jusqu'au point de départ sans le laisser tomber.

LE GRAND GAGNANT EST…

Lorsque tu as établi le parcours et que chaque participant sait quoi faire à chacune des épreuves, les Jeux peuvent s'ouvrir. Chacun doit accomplir le parcours en solo. Exercez-vous à quelques reprises au préalable afin de mettre au point vos tactiques. Lorsque chacun est prêt, prends ton chronomètre et mesure le temps que met chaque gladiateur à accomplir le parcours. Le plus rapide est déclaré gagnant et remporte le titre de *primus palus*.

Conseil important : Chaque gladiateur a ses forces. Chronomètre chacune des épreuves afin de connaître le meilleur de chaque catégorie.

COMBATTRE LE GRAND
INCENDIE DE LONDRES

Une fumée grise emplit l'air et tu entends un craquement et des voix fortes à proximité. C'est le petit matin et, pendant un court instant, tu attribues les stries rougeâtres du ciel aux lueurs de l'aube, mais il n'en est rien — le rougeoiement du ciel est provoqué par un incendie incontrôlé! Tu te retrouves le 2 septembre 1666 et la ville de Londres est la proie des flammes.

Un homme te jette dans la main une perche de fer garnie d'un crochet et t'ordonne de le suivre. L'heure n'est pas aux présentations. Tu t'apprêtes à joindre l'une des équipes de volontaires qui tenteront désespérément de combattre le grand incendie avant qu'il ne ravage toute la ville.

COMBATTRE LE FEU

Tu aperçois devant toi des hommes armés de haches, de câbles et de crochets qui s'efforcent d'abattre un rang de maisons. Ils veulent former, entre les immeubles, un espace suffisamment large pour que le feu ne s'y propage pas. C'est un rude travail et tu sens la chaleur intense à mesure que les flammes approchent.

L'idée est vaine, car les flammes enjambent les ouvertures aussitôt que les maisons sont dégagées. Tu proposes de téléphoner à la brigade des sapeurs-pompiers, mais tous te regardent comme si tu étais fou. Il n'y a pas de brigade des sapeurs-pompiers en 1666. Chaque quartier est doté du matériel élémentaire afin de combattre les incendies, par exemple des seaux de cuir emplis d'eau, des haches, des crochets et des échelles. Il existe même une sorte de pompe qui fait gicler de l'eau mais, contre ce brasier, elle est aussi utile qu'un pistolet à eau géant.

COMBATTRE LA PEUR

Selon la rumeur, l'incendie s'est déclaré le matin même dans une boulangerie de Pudding Lane. Londres, à cette époque, est une agglomération de maisons de bois entassées les unes sur les autres; donc, le feu se propage rapidement d'une bâtisse à l'autre et dévore tout sur son passage. Pire encore, de nombreux entrepôts se trouvent dans ce quartier où sont entreposés du gazole, de la poix et du goudron, toutes des matières qui s'enflamment facilement.

L'homme te raconte que la population a mis du temps à mesurer l'ampleur de l'incendie. Les gens refusaient d'abattre leur maison, prétextant ce qu'il en coûterait pour la reconstruire.

Tu restes un peu afin de prêter main-forte et, à la fin du deuxième jour, tu vois nombre de Londoniens contraints de quitter leur maison. Les voleurs en profitent pour cambrioler les maisons abandonnées. De nombreux propriétaires de charrettes et d'embarcations exploitent ceux qui tentent de fuir l'incendie en leur prenant des sommes exorbitantes pour les conduire loin du danger.

Des soldats et des marins ont été dépêchés sur les lieux. Ils emploient de la poudre à canon pour faire sauter des rangs de maisons et empêcher la propagation des flammes. Cette stratégie finit par porter ses fruits et, au bout de quatre jours, l'incendie est maîtrisé. D'imposants quartiers ont été rasés et on signale, non sans étonnement, que seules huit victimes ont péri dans le brasier. Tu te demandes comment cela est possible, étant donné que Londres est une ville populeuse et que les flammes se sont répandues à grande vitesse. À présent, commence l'opération de déblaiement. Mais cette tâche ne te semble pas aussi stimulante que le combat contre le feu. Tu appuies donc sur la touche « Éjection ».

MISE EN GARDE

De nos jours, il est préférable de confier aux professionnels le soin de combattre les flammes. Toutefois, si tu découvres un incendie, sors vite des lieux et communique avec la brigade des sapeurs-pompiers en composant le 911.

Ne tente jamais d'éteindre seul un incendie.

1500 AV. J.-C.

LE SAUT SUR LE TAUREAU EN CRÈTE

L'air est chaud, la mer est bleue, les branches des oliviers sont lourdes de fruits, les collines sont verdoyantes et tu te rends compte que tu es en Crète, la plus grande des îles grecques. Tu ignores cependant que tu assisteras bientôt à une prestation sportive parmi les plus spectaculaires et les plus dangereuses de tous les temps. Il s'agit d'une épreuve qui fait non seulement appel à la force, la rapidité et l'agilité d'un homme, mais également à son courage (ou sa stupidité, selon le bout de la lunette avec lequel on regarde les choses).

Un garçon vêtu d'une tunique s'approche de toi et t'invite à le suivre. Il est Crétois et vit à l'âge minoen. Il appartient à une grande civilisation établie en Crète et dans les îles de la mer Égée en 1500 av. J.-C.

Il te conduit à une extrémité d'un champ où tu aperçois un énorme taureau colérique qui creuse le sol de l'un de ses sabots. Devant lui se trouve un jeune homme qui semble le provoquer par des agaceries, comme s'il souhaitait que le taureau fonce sur lui. Ce jeune homme est un acrobate qui s'apprête à exécuter un saut périlleux au-dessus du taureau dans une épreuve qui allie le sport, la danse et l'acrobatie et aussi un soupçon de folie!

SAUT ACROBATIQUE SUR TAUREAU

Tu regardes le taureau qui fait un mouvement brusque en direction de l'acrobate. Étonnamment, plutôt que de se sauver, le jeune homme reste immobile. Au moment où le taureau se trouve devant lui, il tend les bras et le saisit par les cornes. Aussitôt, le taureau lève la tête et fait passer le jeune homme au-dessus de son dos; celui-ci vole dans les airs. L'acrobate lâche alors les cornes et retombe adroitement sur ses deux pieds sur le dos de la bête. Il bondit ensuite dans les airs, exécute à la perfection un saut périlleux et atterrit derrière le taureau.

Les gens de l'âge minoen vouent un culte au taureau. Cette période archaïque de la civilisation grecque et crétoise doit son nom à l'un de ses rois depuis longtemps disparu, Minos. Selon la légende, le roi Minos a fait construire un vaste labyrinthe pour y enfermer un monstre qui était mi-homme mi-taureau. Ce monstre était le Minotaure.

Le Minotaure a terrorisé les insulaires qui devaient le nourrir de chair humaine, et ce, jusqu'à ce qu'un brave venu d'Athènes, prénommé Thésée, le tue dans un dernier combat.

UN EFFET BŒUF

En observant l'acrobate, tu commences à apprécier la beauté de cette activité sportive qui fait appel à la grâce, à la force physique et à la bravoure des participants. Peut-être te trouves-tu là à les regarder depuis trop longtemps; toujours est-il que l'un des acrobates t'invite à t'y essayer. Avant peu, tu te retrouves nez à nez avec le plus imposant et le plus colérique des taureaux. Après avoir fait l'objet de plusieurs sauts, il semble désireux de piétiner quelqu'un.

Alors que le taureau fonce vers toi à toute allure, tu décides que ce n'est pas le moment de te risquer à un nouveau sport, qu'il serait plus sage de revenir dans le présent et de t'exercer d'abord à ce genre d'acrobaties. Aussi, au moment même où tu sens l'haleine du taureau sur ta joue, tu appuies sur la touche « Éjection ».

EXERCICES EN VUE DU SAUT SUR LE TAUREAU

Afin de t'exercer au saut acrobatique sur le taureau dans un parc ou un jardin, tu devrais former deux équipes. Les indications suivantes valent pour deux équipes de trois membres chacune, mais le plus vous serez nombreux, le plus vous vous amuserez.

Mesure un parcours qui fait 24 mètres (environ 80 pieds) de longueur et indique clairement les fils de départ et d'arrivée. (Le parcours doit être plus long si les équipes comptent plus de trois membres.)

Chaque équipe compte un acrobate et les autres font des taureaux. Les taureaux de chaque équipe s'alignent le long du parcours. L'équipe A se trouve à 5 mètres (16½ pieds) de l'équipe B. Le premier taureau de chaque équipe se place à environ 4 mètres (13 pieds) du fil de départ, le deuxième à 4 mètres de lui, et ainsi de suite.

Tous les taureaux doivent se trouver de côté par rapport au fil d'arrivée. Ils se penchent en avant, appuient les coudes sur les cuisses et entrent la tête dans les épaules en pointant les index de chaque côté de la tête. Ils simulent les cornes du taureau.

Les deux acrobates se trouvent sur le fil de départ. Lorsque la joute commence, les acrobates accourent en direction du premier taureau de leur rang respectif. Ils posent les mains au centre du dos du taureau et sautent par-dessus. Ils refont de même pour chacun des taureaux. Les acrobates se mettent alors en position de devenir des taureaux et le premier taureau du rang devient acrobate à son tour.

Poursuivez ainsi jusqu'à ce que le premier acrobate ait sauté à deux reprises et couru jusqu'au fil d'arrivée. La première équipe dont l'acrobate franchit le fil d'arrivée remporte la joute.

MISE EN GARDE

Le saut acrobatique sur un véritable taureau est une épreuve sportive qui appartient au passé. Un jeune explorateur venu de l'avenir ne devrait jamais tenter une telle épreuve; tu risquerais d'en sortir gravement blessé.

LA PRÉPARATION
D'UNE MOMIE ÉGYPTIENNE

Deux individus sont dans la salle où tu te retrouves, mais seul l'un d'eux est vivant. Par chance, c'est toi! L'autre est un homme allongé sur une dalle de pierre et qui semble mort depuis belle lurette.

Des tas de questions se bousculent dans ta tête : « Qui est-il ? Que fait-il en ce lieu ? Et, surtout, dois-je me téléporter à la maison ? » À ce moment, un homme qui a réponse à ces questions entre dans la salle. Il t'explique que tu te trouves dans l'atelier d'un embaumeur en Égypte ancienne. Lui-même est l'embaumeur en chef et il te convie à l'aider dans ses tâches.

Son travail consiste à momifier les corps de défunts fortunés afin qu'ils ne se putréfient pas sous leurs bandelettes. Il s'apprête à embaumer un corps avec l'aide de ses assistants.

LEÇON D'EMBAUMEMENT

Une mise en garde s'impose ici. La momification du corps d'un défunt ne tient pas seulement à l'enrouler d'étroites bandelettes. Cette étape est précédée de plusieurs autres plutôt macabres. Aussi, si tu es du genre à devenir pâle en apercevant une goutte de sang, tu ferais mieux de t'endurcir ou d'appuyer sur-le-champ sur la touche « Éjection ». Puisque tu décides de rester là, l'embaumeur te livre ses premières indications.

1. Introduis une longue tige munie d'un crochet à l'intérieur du nez du défunt. Le crochet brisera le cerveau en morceaux que tu extirperas ensuite par les narines.

2. Pratique une incision d'un côté du corps et dégage les organes internes. L'embaumeur te demande si tu tiens vraiment à accomplir cette tâche. Quelqu'un tel que toi qui remonte le temps n'hésite jamais à tenter une nouvelle expérience; alors, tu consens, mais vite tu regrettes ta décision. Les viscères sont des organes longs, visqueux et nauséabonds qui laissent échapper des bruits de succion lorsque tu les extirpes.

3. Dépose les organes dans quatre vases canopes : l'un est réservé aux poumons, l'autre au foie, le troisième à l'estomac et le dernier aux intestins.

L'embaumeur te dit de laisser le cœur à sa place, car le défunt en aura besoin dans l'autre monde.

4. À présent, couvre le corps de natron, un sel aux propriétés particulières. Bourre l'intérieur du corps de sachets de natron, cela l'aidera à sécher, favorisera sa conservation et atténuera l'odeur nauséabonde.

5. L'embaumeur en chef dit que le corps doit saumurer dans le natron pendant quarante jours, jusqu'à ce qu'il soit tout à fait sec. Après cela, il semblera amaigri et sa peau aura foncé. Les embaumeurs rempliront ensuite le corps de substances antiseptiques et lui donneront une forme normale avant de refermer l'incision que tu as pratiquée sur le côté du défunt. Le corps sera ensuite entouré de bandelettes.

UNE TECHNIQUE EMBALLANTE

Dans l'atelier, tu vois des corps à différentes étapes de la momification. Tu es chargé d'entourer de bandelettes un corps qui a été embaumé quarante jours auparavant. L'embaumeur en chef te prévient qu'il s'agit d'une tâche précise qui exige de la minutie. Le moindre geste doit être accompli dans les règles de l'art, car le défunt est apparenté à une famille fortunée et puissante qui est très pointilleuse.

Tu commences par aider l'embaumeur à entrecroiser les bandelettes sur toute la surface du corps, depuis la tête jusqu'aux doigts et aux orteils. Les bandelettes sont superposées et quelques-unes sont décorées de hiéroglyphes qui composent des prières. Tu travailles avec précaution, mais il s'agit d'une tâche plutôt difficile et tu finis par ne plus t'y retrouver; aussi, tu renonces à ce travail et tu recommences à saupoudrer de l'encens.

Tu saupoudres entre chaque couche de bandelettes de l'encens et de la myrrhe qui répandent une forte odeur. Tu truffes les bandelettes de petits bijoux appelés « amulettes » afin d'éloigner les mauvais esprits.

VOYAGE AU PAYS DES MORTS

Alors qu'ils entourent le corps de bandelettes, les embaumeurs expliquent qu'ils croient que l'esprit s'apprête à entreprendre un long voyage au pays des morts. À la fin de son périple, il rencontrera Osiris, qui règne sur ce mystérieux pays. Si Osiris estime que l'homme a été bienveillant, son esprit réintégrera son corps et il connaîtra la vie éternelle.

Les Égyptiens croient que la vie éternelle est une version améliorée de l'existence qu'ils mènent ici-bas. Voilà pourquoi la famille et les amis du défunt mettent tout en œuvre pour lui faciliter le voyage. Ils gravent des messages et des inscriptions sur son sarcophage et ils déposent, à l'intérieur de son tombeau, plusieurs effets dont il aura besoin dans son autre vie, par exemple de la nourriture, des meubles, des vêtements et même des sous-vêtements. On enferme en outre des répliques de ses serviteurs — des *ushabtis* — à l'intérieur de son tombeau ainsi qu'un exemplaire du *Livre des morts*, une sorte de guide de voyage pour l'autre vie.

Pour terminer, l'embaumeur en chef pose un masque sur le visage de la momie. Étant donné qu'il est difficile de reconnaître quelqu'un qui est couvert de bandelettes de la tête aux pieds, il fixe à la momie une étiquette qui porte le nom du défunt. Il s'assure ainsi que la momie ne prendra pas part aux funérailles de quelqu'un d'autre!

À présent, ton travail est achevé et il est l'heure de sortir de cet atelier où règne une odeur affreuse. Tu appuies sur la touche « Éjection ».

LA FABRICATION D'UNE HACHE DE SILEX

Soudain, tu entends derrière toi s'entrechoquer deux pierres. Tu te retournes et tu vois un homme assis au sol. Il taille peu à peu une grosse pierre à l'aide d'une autre plus petite.

Il fabrique une hache et, lorsqu'il a terminé, elle ne ressemble à aucune hache que tu aurais vue jusqu'ici. Elle est sans manche. Il remarque que tu es intrigué et se dirige vers un jeune arbre. Il tient la hache dans la paume de sa main, la lame orientée vers l'extérieur, et il frappe la base de l'arbrisseau. Il l'abat d'un seul coup. Il le prend et se sert du fil de la lame afin de prélever de l'écorce à la base. Il tire ensuite sur l'écorce, qui se soulève en un long ruban, qui servira à faire de la ficelle ou à tresser des paniers.

Il te remet un morceau de pierre—il précise que c'est du silex—et t'invite à t'exercer à la taille.

L'ÂGE DE LA PIERRE POINT PAR POINT
Matériel nécessaire :
• un gros morceau de silex • des lunettes de protection
• quelques agates de différentes formes et de différentes tailles • un morceau d'os ou de bois franc
• un morceau de cuir épais ou une serviette pliée en deux.

1. En premier lieu, choisis le morceau de silex que tu veux façonner. Si possible, choisis-en un qui soit plutôt plat et qui ait déjà une forme ronde ou ovale. Renonce au silex marbré de veines blanches ou truffé de cristaux; tu aurais du mal à le tailler. En outre, si tu tapotes le silex et qu'il rend un son étouffé, c'est qu'il s'y trouve une faille qui l'affaiblira et qui en compliquera le façonnage.

2. Pose le silex sur un morceau de cuir épais (ou une serviette pliée en deux) qui couvre ton genou gauche et assujettis-le de ta main gauche si tu es droitier (et inversement si tu es gaucher).

3. Sers-toi d'une agate pour frapper le côté le plus long du silex. Assène les coups d'un côté plutôt qu'au centre de la pierre. Ainsi, tu tailleras de longs éclats de silex à l'extrémité de la pierre, ce qui la rendra plus pointue.

4. Ne te défais pas des fragments de silex que tu tailles; ils serviront à fabriquer des pointes de flèche et de petits racloirs pour nettoyer les peaux d'animaux. Fais attention, car les fragments de silex sont très coupants.

5. Lorsque tu as effilé le morceau de silex de sorte qu'il est plus étroit d'un côté que de l'autre, tu es prêt à façonner son tranchant.

6. À l'aide d'une petite agate, continue à tailler de longs éclats de silex ainsi que tu l'as fait auparavant, sauf que, cette fois, use de moins de force et tiens-t'en au côté le plus long de la hache.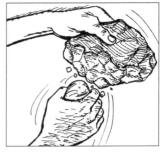

À mesure que s'affinera le tranchant de la hache, tu devras employer des morceaux d'os ou de bois pour éviter de dégager de trop gros fragments.

7. Pose la hache sur une surface dure et, alors que le tranchant se trouve à proximité de la surface, rectifie la pointe du morceau de bois en effectuant un mouvement de torsion contre la bordure de la hache. Tu pourras ainsi dégager de minuscules fragments de silex jusqu'à ce que la hache ait la forme voulue.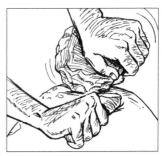

MISE EN GARDE

Les éclats de silex peuvent être aussi tranchants qu'un couteau de boucher. Porte des lunettes de protection et couvre tes genoux. Fais très attention au moment de mettre au rebut des éclats de silex. Emballe-les de plusieurs feuilles de papier journal et mets-les à la poubelle.

Ne taille jamais de silex à l'intérieur, car la poussière de roche peut être malsaine pour les poumons.

SORTIR VIVANT DU BLITZ EN GRANDE-BRETAGNE

À l'instant même où tu te retrouves en ce lieu, tu remarques que s'active le clignotant de ton combiné de téléportation. Une sirène d'alerte lance alors un long hurlement. On prévient la population d'un raid aérien imminent et tu dois courir à l'abri. L'ennui, c'est que tu ne vois guère, pas même la main devant ton visage. Tu actives le dispositif d'éclairage de ton combiné, mais aussitôt quelqu'un lance dans ta direction : « Éteignez cette lumière ! »

Tu te trouves en 1940 au beau milieu du Blitz, c'est le nom que l'on donne à une période de la Seconde Guerre mondiale alors que, nuit après nuit, l'aviation allemande bombarde les villes de Grande-Bretagne.

LE BLACK-OUT

La sirène hurle toujours et tu entends le sifflement d'une bombe avant qu'elle ne tombe au sol. Un éclair de lumière précède le son assourdissant d'une explosion. Une femme te prend la main, te conduit à une porte et vous vous engouffrez dans un escalier. Il y a de la lumière à l'intérieur et tu peux voir où tu te trouves. Tu es à l'intérieur d'une station du métro de Londres bondée de citoyens, qui y trouvent un abri au cours des raids aériens nocturnes.

La dame qui t'a entraîné à cet endroit s'appelle Sylvia. Son époux combat au front. Elle te fait ses excuses pour t'avoir crié après, mais elle t'avertit que tu peux t'attirer beaucoup d'ennuis si tu donnes de la lumière pendant un black-out. Au cours d'un black-out, chacun doit couvrir les fenêtres de sa maison de lourdes tentures juste avant le crépuscule. L'éclairage des lampadaires est tamisé de sorte qu'ils ne laissent filtrer que peu de lumière et les phares des véhicules automobiles sont orientés vers le sol et sont striés de noir. Les autorités espèrent ainsi que l'obscurité compliquera la tâche des bombardiers allemands qui ciblent les villes britanniques du haut des airs.

ALLER SOUS LA TERRE

La saleté règne dans la station de métro infestée par les rats. Une odeur écœurante imprègne les lieux, car les toilettes publiques sont condamnées et les gens doivent se servir de seaux à la place. C'est toutefois l'endroit le plus sûr où trouver refuge. Sylvia t'explique qu'au début de la guerre les autorités avaient interdit à la population de se réfugier dans le métro. Afin de s'opposer à cette interdiction, elle achetait un billet pour faire un trajet et n'en sortait qu'au moment où les sirènes prévenaient la population que les bombardiers avaient disparu. Aujourd'hui, plus de 200 000 individus se cachent à l'intérieur de toutes les stations du réseau. Il existe en outre de véritables abris antiaériens, mais pas en nombre suffisant pour

que tous y accourent et Sylvia ne possède pas de jardin où elle pourrait construire son propre abri selon le modèle Anderson.

Au-dessus de ta tête, tu entends toujours les bombes qui explosent et souvent le banc sur lequel vous avez pris place tremble. Sylvia s'inquiète de ce qu'elle découvrira après le raid aérien. La semaine dernière, une famille qui habite la même rue qu'elle a retrouvé un tas de gravats là où était sa maison.

PLUIE DE BOMBES

Sylvia t'explique que les avions allemands font pleuvoir deux sortes de bombes.

1. En premier lieu, des bombes incendiaires qu'ils laissent tomber par grappes. Ces bombes sont petites mais contiennent des substances chimiques et prennent feu là où elles atterrissent. Elles causent beaucoup de dégâts et éclairent les lieux, de sorte que les pilotes voient où larguer le reste des bombes.

2. En second lieu, des bombes bourrées d'explosifs. La plupart explosent au moment de l'impact et détruisent les constructions environnantes. D'autres sont dotées d'une minuterie et n'explosent que quelques heures plus tard, sans avertissement. Les artificiers de l'armée tentent de les désamorcer,

mais il s'agit d'une mission dangereuse et plusieurs sont tués en s'y risquant.

Sylvia raconte que, la semaine dernière, le 14 novembre 1940, les bombardiers allemands ont lâché 500 tonnes de bombes sur la ville de Coventry à proximité de Birmingham en Angleterre. Le raid a fait 568 morts et plus de 1000 blessés. Plus de 60 000 immeubles ont alors été détruits.

CHASSER LE BLUES DU BLITZ

• Apporte des bouchons d'oreille. Si tu crois que ton père ronfle bruyamment, tu n'as rien entendu! Le hurlement des sirènes, le bruit sourd des bombes qui explosent, le fracas des immeubles qui s'écroulent sont terrifiants. Afin de garder le moral et de masquer le sifflement des bombes, pourquoi ne pas chanter?

• Apporte quelque chose à faire. Tu peux être confiné un long moment à l'intérieur de l'abri. Sylvia tricote, mais tu pourrais apporter un jeu de société ou de cartes.

• Ne sors pas après le crépuscule à moins que cela ne soit vraiment nécessaire. Le black-out provoque un grand désordre sur les routes. Nul ne voit où il va. Des individus se heurtent aux lampadaires, tombent des ponts et les automobiles sortent de la route et atterrissent dans les ruisseaux.

• Apporte un casse-croûte. Malheureusement, les bonbons et autres aliments sont rares. Les autorités gouvernementales contrôlent la quantité d'aliments que la population a le droit de consommer; c'est ce qu'on appelle le rationnement.

• Demande à être évacué. Nombre d'enfants sont partis vivre à la campagne pour être à l'abri des bombardements (reporte-toi aux pages 25 à 27). Sylvia a deux filles qui sont en sûreté au pays de Galles.

ÉCHAPPER AU
NAUFRAGE DU *TITANIC*

Tu te retrouves à bord du *Titanic*, le plus grand transatlantique au monde. Le *Titanic* navigue à environ 640 kilomètres (environ 400 milles) des côtes de Terre-Neuve et effectue sa première traversée de l'océan Atlantique. Parti du port de Southampton en Angleterre, il se rend à New York aux États-Unis. Tu es au sommet de l'immense escalier d'honneur qui descend sur cinq ponts en dessinant une élégante courbe. La tentation est trop forte. Tu sautes à califourchon sur la rampe et tu te laisses glisser jusqu'à la salle à manger de la première classe. Tu n'es à bord que depuis 20 minutes et déjà tu as repéré une piscine, un gymnase, un court de squash et même une bibliothèque. Il s'agit d'un luxueux palais flottant, du moins en ce qui concerne les ponts supérieurs.

Au bas du palier de l'escalier, tu trouves un restaurant bondé de gens en tenue de soirée. Les femmes sont parées de diamants qui scintillent presque autant que les lustres de cristal pendus au-dessus de leur tête. Les mets qu'on leur présente sont invitants.

TENTER LE SORT

Tu as un petit creux et tu prends place à une table dans l'intention de dîner. Les autres convives sont également impressionnés par le paquebot. «Le *Titanic* est le premier navire insubmersible jamais construit», affirme un homme avec enthousiasme. Tu veux dire un mot—si tu sais quelque chose à propos du *Titanic*, c'est qu'il est tout sauf insubmersible.

N'oublie pas que tu ne dois pas modifier le cours de l'histoire (reporte-toi à la page 9). Dans quelques heures, le *Titanic* se trouvera au fond de la mer. Plus de 2200 passagers sont à bord, dont 1517 périront et tu ne peux rien y changer.

NAUFRAGE EN EAU FROIDE

Un serveur t'aperçoit et semble en voie de te demander si tu voyages en première classe. Tu cours vite vers le pont. Un vent glacial te transperce et, malgré l'obscurité tombée, tu distingues au loin une silhouette blanche, fantomatique... un iceberg.

Affolé, tu accours vers un membre d'équipage. Il a déjà aperçu la masse de glace qui flotte sur l'océan. «Il ne semble pas trop imposant», dit l'homme d'équipage. Mais tu sais que seul un neuvième de la hauteur totale d'un iceberg émerge de l'eau. C'est la partie immergée qui peut occasionner des dégâts considérables. Tu le convaincs de sonner l'alarme. Entre-temps, l'équipage a reçu des avertissements d'autres navires qui naviguent dans le secteur, mais il les a ignorés.

Le bruit d'un effroyable déchirement métallique retentit au moment où la coque du géant des mers frappe l'iceberg. La glace fend son ventre tout du long, sous la ligne de flottaison, et l'eau entre à flots. Le pont tremble, mais l'homme d'équipage te rassure : « le *Titanic* est insubmersible. »

Tu retournes à la salle à manger, où l'orchestre joue encore, où les garçons font le service et où les dîneurs ne semblent pas se rendre compte de la situation. Ils se moquent des rares passagers partis chercher un gilet de sauvetage. Ils ne croient pas que le paquebot puisse sombrer.

CONSEILS DE SURVIE À BORD DU *TITANIC*

À titre de passager venu du futur, tu sais que tu ne peux rien pour sauver quiconque à bord, à part toi-même.

• Accours vite vers un canot de sauvetage — on n'en a pas prévu suffisamment pour tous les passagers qui se trouvent à bord. La société qui a construit le paquebot a recommandé la mise en place de quarante-huit canots de sauvetage pour recevoir tous les passagers, mais la White Star Line, propriétaire du *Titanic*, n'en a prévu que vingt. Il y a seize barques en bois capables d'accueillir soixante-cinq passagers et quatre embarcations pliantes où peuvent prendre place quarante-sept personnes. Les barques prennent la mer sans prendre le nombre de passagers qu'elles peuvent accueillir; l'une d'elle ne compte que douze personnes à bord.

• Avoue ton âge à l'homme d'équipage responsable de diriger les passagers vers les canots. Les femmes et les enfants sont les premiers à y prendre place.

• Agis comme un enfant issu d'une famille riche. Presque toutes les femmes et tous les enfants de la première classe (réservée aux plus fortunés) survivent à un naufrage, de même que la plupart des passagers de la deuxième classe. Moins de la moitié des femmes et des enfants de la troisième classe survivent. La plupart des passagers de la troisième classe ne sont pas dirigés vers les canots de sauvetage et ne peuvent pas accéder aux ponts supérieurs.

• Reste à bord du canot de sauvetage. L'eau de la mer est glacée. Quelques-uns survivront au naufrage, mais peu résisteront à la température froide de l'eau.

REPOUSSER UNE ATTAQUE DES VIKINGS

« Sauvez-vous! Les Vikings approchent!» Un cri fend l'air du matin alors que tu fais des cabrioles dans les hautes herbes qui bordent un mur de pierre. Tu te trouves sur la côte de l'Irlande, à l'intérieur d'une petite bourgade entourée de remparts, voisine d'un monastère. L'endroit serait idyllique, si ce n'était des six drakkars vikings qui viennent de faire leur apparition à l'horizon.

Les moines et les villageois sont pris de panique. Ils doivent cacher les trésors que renferme le monastère et conduire en sûreté le plus grand nombre de gens avant que les impitoyables guerriers ne posent le pied sur la plage.

UN TRÉSOR ENFOUI SOUS TERRE

Un moine affolé vient dans ta direction et met dans ta main un calice en or incrusté de rubis et d'émeraudes. «Suis-moi!» lance-t-il d'une voix puissante. Puis, il te conduit à travers le monastère à un arbre planté à proximité d'un rempart. Tu aperçois alors une fosse que l'on vient de creuser et que les

autres moines emplissent de pièces d'or, de livres saints et de gobelets et d'assiettes en argent.

Les moines veulent enterrer leurs objets précieux afin qu'ils échappent aux attaquants venus en ces lieux pour s'en emparer.

Tu aperçois au loin les Vikings qui viennent de toucher terre. Leurs embarcations sont conçues afin de pouvoir remonter les rivières peu profondes et de glisser sur les plages sablonneuses; voilà pourquoi ils n'ont aucune difficulté à descendre rapidement sur la terre ferme. Quelques-uns montent des chevaux. On pose entre le pont et la plage des planches qu'empruntent les cavaliers pour descendre avec leur monture. D'autres attaquants sont à pied et courent vers la bourgade en poussant des hurlements et des cris sauvages. Seul un petit groupe d'hommes reste à bord afin de garder les drakkars.

Tu vois quelques Vikings qui tuent un berger qui faisait paître ses brebis sur les collines en surplomb de la plage. Ils conduisent le troupeau vers leurs navires; ils en feront plus tard un festin pour célébrer leurs prises.

L'ENNEMI EST À NOS PORTES

Un bruit effroyable déchire tes tympans. Les attaquants enfoncent un bélier en vue de détruire le portail de bois qui protège l'entrée du monastère. À mesure que le portail cède et s'écroule, des guerriers coiffés de casques rutilant dans la lumière matinale s'insinuent par les brèches. Sans aucune pitié, ils transpercent les moines et les villageois de leur lourde épée de métal. Quelques-uns mettent le feu aux habitations après les avoir fouillées et s'être emparés des objets de valeur qu'elles contenaient.

Le supérieur qui dirige le monastère vous prend à part, un moine et toi, et vous demande de vous rendre au fortin à un kilomètre (0,6 mille) de là.

En faisant vite, vous vous aidez l'un l'autre à sauter le mur du potager qui se trouve derrière le monastère. Tu jettes alors un coup d'œil par-dessus ton épaule et tu vois des femmes et des enfants à la file indienne que l'on conduit aux drakkars. Les Vikings les amèneront en Norvège, en Scandinavie où ils les vendront comme esclaves. Tu constates en outre qu'ils ont capturé le supérieur à qui tu viens de parler. Ils en demanderont une rançon. L'église devra verser une fortune en pièces d'or si elle veut le revoir vivant.

Les attaquants savent qu'ils disposent de peu de temps avant que les renforts arrivent; aussi, ils s'emparent le plus rapidement possible de tous les objets de valeur qu'ils trouvent sur leur chemin. La petite bourgade disparaît à mesure que tu cours vers le fortin. Tu n'aperçois plus qu'un panache de fumée qui monte des constructions incendiées. Tu te demandes si les Vikings ont découvert le trésor enfoui à proximité du rempart. Sinon, tu pourrais t'y intéresser lorsque tu reviendras à l'époque contemporaine. Il est peut-être encore enterré à cet endroit et un musée régional serait ravi de présenter ces objets à ses visiteurs.

Au moment où tu atteins le fortin, tu envoies le moine demander de l'aide. Tu en as assez vu et tu ne peux rien changer à la situation. Le moment est venu pour toi de quitter les lieux.

APPRENDRE À TRACER
DES HIÉROGLYPHES

Tu te trouves à l'intérieur d'une vaste salle qui semble appartenir à un temple, devant de hauts murs de grès auxquels sont gravés des tas de dessins. Ces dessins, qui sont alignés à la verticale sur les murs, sont des hiéroglyphes et constituent l'une des premières formes d'écriture.

Tu passes un moment à tenter de saisir la signification de ces dessins, mais tu as beau reconnaître quelques-unes des formes, par exemple les oiseaux et les serpents, tu n'y comprends rien du tout.

LE POUVOIR ÉVOCATEUR DE L'IMAGE

Tu regardes autour, à l'affût de quelqu'un qui saurait t'aider et tu aperçois un jeune homme à la tête en partie rasée qui gravit les marches du temple. Il porte sous le bras plusieurs rouleaux de papyrus (reporte-toi aux pages 23 et 24). Tu lui demandes poliment de t'éclairer sur la signification des hiéroglyphes. Il s'appelle Suten Anu. Il est scribe au palais du pharaon, le roi d'Égypte.

Suten raconte que les Égyptiens ont appris à écrire de la sorte grâce à l'intervention de Toth, le dieu de la sagesse. Il croit que les dessins ont un pouvoir qui leur est propre. Il faudrait plusieurs années d'études avant que tu puisses décoder tous les symboles — il en existe plus de 700 —, mais il est ravi de te donner quelques indices.

ABÉCÉDAIRE ÉGYPTIEN

Suten Anu déroule l'un des parchemins de papyrus sur lequel figurent quelques-uns des symboles les plus usités. Il explique que chacun d'eux représente un son. Il prononce chaque son alors qu'il désigne les symboles de la liste.

Il te montre les dessins correspondants sur les murs et t'indique que quelques-uns sont soulignés d'un trait. Il t'explique qu'un symbole sonore souligné d'un trait désigne également une chose; par exemple :

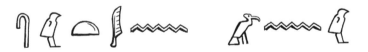

Tu remarques qu'il se trouve peu de signes de ponctuation tels que les points et les points d'interrogation. Suten te regarde d'un air ébahi et tu comprends qu'ils n'existent pas encore.

Afin de compliquer davantage la lecture, on peut tracer les hiéroglyphes de gauche à droite ou de droite à gauche, selon la configuration de l'espace à couvrir.

UN CARTOUCHE ROYAL

Certains hiéroglyphes ont été tracés à l'intérieur d'un encadrement ovale; il s'agit d'un cartouche réservé au nom d'une reine ou d'un roi. Les Égyptiens croient que l'encadrement ovale protège le nom de leur monarque.

Tu demandes à Suten s'il peut t'enseigner à écrire ton nom à partir des hiéroglyphes. Il te propose de l'épeler à l'aide des hiéroglyphes sonores qu'il t'a montrés plus tôt et qui correspondent aux lettres qui forment ton nom. Par la suite, tu tentes d'écrire son nom à lui.

Il s'esclaffe. Ce n'est pas ainsi qu'il l'écrirait, mais il pense qu'en t'exerçant un peu tu pourrais devenir un très bon scribe.

LA FABRICATION D'UN CARTOUCHE

Pourquoi ne pas t'exercer à l'écriture hiéroglyphique en fabricant un cartouche à ton nom!

Matériel nécessaire :
- une feuille de papier et un crayon
- de la pâte à modeler qui durcit rapidement
- un couteau de table • un rouleau à pâtisserie
- une aiguille à tricoter fine ou une brochette
- de la peinture • des pinceaux • de la colle

1. En premier lieu, dessine ton cartouche sur une feuille de papier. La liste reproduite à la page 99 te servira à choisir les lettres qui forment ton nom et à les reproduire sur papier.

2. Étale la pâte à modeler à l'aide du rouleau à pâtisserie jusqu'à ce que son épaisseur soit de 1,5 centimètre ($^5/_8$ pouce).

3. Découpe un ovale à l'aide du couteau de table. (Tu peux donner à ton cartouche la taille que tu veux, mais tu devrais pouvoir écrire ton nom sur une surface de 20 centimètres sur 10 centimètres [8 pouces sur 4 pouces].)

4. Forme un long colombin avec le reste de pâte à modeler en la roulant entre les paumes de tes mains. Il doit être suffisamment long pour former le contour de l'ovale que tu as découpé.

5. Par la suite, à l'aide d'une bro- 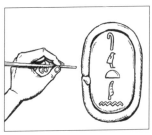 chette, grave dans la pâte les hiéro- glyphes qui forment ton nom. Appuie peu au début pour t'assurer que tu peux graver tous les sym- boles; refais ensuite les hiéroglyphes en appuyant plus fortement.

6. Lorsque tu as terminé, laisse sécher la pâte ou fais-la cuire au four en suivant les indications du fabricant.

7. Applique sur le cartouche une couche de peinture jaune afin que la pâte ait l'apparence du grès. Laisse-la sécher.

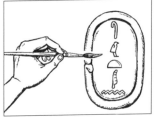

8. Lorsque la peinture jaune est sèche, peins les hiéro- glyphes de cou- leurs vives à l'aide d'un pinceau délicat.

Expose ton cartouche dans ta chambre afin que ta famille ait conscience de ton rang royal. Tes frères et sœurs pourraient te traiter comme un pharaon et le pha- raon était considéré comme un dieu!

MISE EN GARDE

Ne fabrique pas ton cartouche alors que tu te trouves en Égypte ancienne. Seuls les noms des dieux et des rois étaient gravés sur un cartouche. Tu pourrais t'atti- rer de gros ennuis.

VOYAGE À BORD DU TRAIN SOUTERRAIN

1850 apr. J.-C

Tu t'es accroupi dans un réduit sombre et poussiéreux, et quelqu'un se trouve à tes côtés : un jeune homme qui semble terrifié. Il se cache. Les choses ne vont pas bien. Tu te trouves en Alabama, l'un des États des États-Unis d'Amérique, et l'homme à côté de toi, qui se prénomme Benjamin, est un esclave en cavale.

Non loin de vous, des voix sonores se font entendre, accompagnées de bruits de pas lourds. Tu t'apprêtes à demander « qui va là », mais Benjamin t'implore de ne rien dire. Sa liberté est tributaire de ce qu'on ne le découvre pas. Il en va de même de sa vie. On déplace des meubles, on claque des portes et des chiens aboient au loin. Puis, le silence.

Benjamin laisse échapper un long soupir de soulagement. Il est en sûreté, du moins pour le moment.

Il se cache des officiers nordistes dont le travail consiste à l'appréhender et à lui faire reprendre le chemin de la ferme et de la vie de misère dont il s'est échappé.

Benjamin voyage à bord du train souterrain. Il te raconte que le propriétaire du bâtiment sous lequel vous êtes cachés est chef de gare. Tu te rends alors compte que vous êtes terrés dans un compartiment secret dissimulé derrière une bibliothèque. En sortant de cette cachette, tu t'attends à voir un quai de gare ou, du moins, quelques rails, mais il n'en est rien. C'est que le chemin de fer sur lequel vous allez vous engager n'est pas comme les autres.

SUR LA VOIE DE DESSERTE

Benjamin est né sur une ferme à environ 30 kilomètres (un peu moins de 20 milles) au sud de l'endroit où vous êtes. Né dans l'esclavage, il appartient au propriétaire de la ferme en question. Cela veut dire qu'on peut le vendre ou l'acheter à tout moment. La vie des esclaves sur la ferme était très rude. Benjamin recevait des coups s'il ne travaillait pas suffisamment et il a vu mourir plusieurs de ses frères.

Les parents de Benjamin étaient des esclaves mais, à leur naissance, ils étaient libres. Il y a de cela très longtemps, des marchands d'esclaves les ont contraints à quitter l'Afrique et les ont fait passer aux États-Unis.

TOUS À BORD !

• Le chemin de fer souterrain n'est pas un véritable chemin de fer. C'est le nom de code que l'on donne à une route qui s'échelonne entre le sud des États-Unis et le nord. On dit qu'il est souterrain parce qu'il est secret. Une organisation souterraine aide les esclaves en cavale — les colis — à échapper aux agents nordistes.

• Environ aux 20 kilomètres (12½ milles) le long du chemin de fer se trouvent des refuges où les esclaves en fuite peuvent s'arrêter, prendre du repos et se nourrir. Dans le langage codé des passeurs, ces refuges sont appelés *gares*.

• Le chemin de fer conduit les fuyards des États du Sud, où l'esclavage est légal, vers les États du Nord, à destination du Canada. Étant donné que les esclaves sont la propriété de leur maître, il leur est interdit de se sauver, comme il est illégal de les aider dans leur fuite. Les sentences sont sévères pour leurs complices.

• L'homme qui dirige le refuge où Benjamin et toi êtes aujourd'hui porte le titre de « chef de gare » et ceux qui conduisent les fuyards entre deux gares sont des « chefs de train ».

• Benjamin et ses semblables ont besoin de tout l'appui qu'ils peuvent trouver. Les autorités offrent d'imposantes récompenses à quiconque met la main au collet d'un fuyard. Par conséquent, non seulement sont-ils la proie des agents fédéraux, mais ils sont également traqués par des chasseurs de primes et par la population civile.

UN TRAIN DE MESURES

Une chef de train est arrivée et vient aider Benjamin. Elle s'appelle Harriet Tubman, alias général Tubman ou Moïse, car elle conduit les gens vers la liberté. Elle a aidé des milliers d'esclaves à fuir vers le nord. Benjamin est donc en bonnes mains.

Tu demandes à Harriet si tu peux les accompagner. Elle consent à ce que tu fasses le voyage en leur compagnie. Toutefois, elle te donne au préalable quelques conseils susceptibles de te sauver la vie.

LA BELLE ÉCHAPPÉE

• **Déplace-toi la nuit venue.** Ainsi, on aura plus de mal à te repérer. Aligne-toi sur l'étoile Polaire et marche dans sa direction. Elle te conduira vers le Canada, où tu seras en sûreté.

• **Reste dans les terrains couverts d'arbres et la forêt.** Les arbres te cacheront et ils pourront t'aider à trouver ton chemin. Observe leur tronc; il est plus moussu d'un côté que de l'autre. La mousse devrait être plus épaisse du côté qui fait face au nord.

• **Cherche les refuges**. Tu peux sans crainte faire une halte dans les maisons dont le propriétaire a pendu un lanterneau à un poteau. Tu y trouveras le repos et un bon repas.

• **Chante en chœur**. Écoute les chansons que fredonnent les autres fuyards; on y a codé des messages à l'intention des voyageurs. L'une de ces chansons, intitulée *Barboter dans l'eau*, conseille aux voyageurs de rester à proximité des rivières et de marcher sur leur lit afin de semer les chiens limiers.

• **Ne t'arrête pas**. La loi autorise les esclavagistes à pourchasser leurs esclaves partout aux États-Unis. Il n'y a qu'au Canada qu'ils sont en sécurité. Le gouvernement de Sa Majesté refuse de renvoyer les esclaves chez leur propriétaire. Malheureusement, le Canada se trouve très loin au nord de l'Alabama.

L'INVENTION DE L'ÉCRITURE CHEZ LES SUMÉRIENS

Tu viens à peine d'arriver en Mésopotamie, dans une région que l'on appelle aujourd'hui l'Irak. Les Sumériens, qui vivent à cet endroit en l'an 3100 av. J.-C., forment un peuple très intelligent. Ils excellent en architecture, en agriculture, en mathématiques, en astronomie et en un tas d'autres domaines. En outre, ils sont de grands inventeurs. Quelques spécialistes de l'histoire ancienne sont même d'avis qu'ils ont inventé la roue, alors garde les yeux grands ouverts.

Cela ne paraît peut-être pas, mais l'homme assis en tailleur à tes côtés s'occupe à inventer quelque chose. Il écrit. Ceux qui remontent le temps te diront que les Sumériens sont les premiers de l'histoire de l'humanité à avoir fait usage de l'écriture. Il s'agit véritablement d'un moment historique; alors, assieds-toi à ses côtés et imite-le.

LE POIDS DES MOTS

Bien que les Sumériens soient très intelligents, ils n'ont pas inventé le papier. L'homme te remet une tablette d'argile humide sur laquelle tu écriras. Les Mésopotamiens ne se servent pas davantage de crayons ou de stylos à bille. L'homme te remet un instrument pointu, servant à écrire, appelé « stylet ». La pointe du stylet sert à graver des caractères à la surface de l'argile humide.

LES PRÉMICES DE L'ÉCRITURE

L'homme te confie qu'il écrit parce que les gens doivent tenir un document sur la quantité de récoltes engrangées et le nombre d'objets fabriqués. Il emploie une forme primitive de l'écriture sumérienne qui se modifiera et évoluera au cours des 2000 années qui suivront.

Il dessine le symbole de l'orge, une céréale que les Sumériens cultivent en grande quantité, en enfonçant la pointe de son stylet dans l'argile souple et en traçant des lignes comme suit :

Le symbole ressemble vaguement à quelques-uns des logotypes que tu vois aujourd'hui, mais aucunement à un mot comme ceux que tu as l'habitude de lire. L'homme dessine d'autres pictogrammes et t'invite à deviner ce qu'ils représentent (reporte-toi aux réponses à la page 123).

GRAVURE SUR LES TABLETTES

Aujourd'hui subsistent encore de nombreuses tablettes portant des inscriptions sumériennes et peut-être même celle à laquelle travaille en ce moment ton ami scribe. La raison est simple : les inventions des Sumériens leur ont permis de faire fortune. Par conséquent, les peuples qui les entouraient sont devenus jaloux d'eux et les Sumériens ont subi nombre d'attaques de leurs voisins, désireux de s'emparer de leurs inventions. Leurs ennemis incendiaient, entre autres, les temples et les édifices publics. C'est sous l'action du feu que l'argile des tablettes a cuit et durci et que les tablettes ont été préservées pendant plusieurs siècles.

IMAGINE TA PROPRE ÉCRITURE

Pourquoi ne pas tenter d'imaginer des pictogrammes semblables aux caractères sumériens afin de désigner les objets qui t'entourent!

Matériel nécessaire :
- un crayon • du papier • une tige pointue • de la pâte
  à modeler • un rouleau à pâtisserie • un four

Dessine quelques symboles originaux à l'aide du papier et du crayon. Tu peux imaginer un symbole qui désigne tout ce qui t'entoure, par exemple un véhicule automobile, un avion, une planche de surf, une pizza, un téléphone cellulaire, ta mère, etc. Toutefois, veille à ce que les symboles soient simples à dessiner afin de pouvoir les reproduire sans difficulté sur la pâte à modeler.

Par la suite, il faut préparer une tablette d'argile. Prélève un morceau de pâte à modeler de la taille d'un poing fermé et, à l'aide du rouleau à pâtisserie, utilise-le pour façonner un carré qui fait environ 1 centimètre (0,4 pouce) d'épaisseur. Ce sera ta tablette.

À l'aide de la tige pointue (le stylet), grave tes symboles sur la tablette de pâte à modeler. L'avantage de ta tablette sumérienne, c'est qu'aucun ennemi ne doit mettre le feu à ton atelier afin qu'elle durcisse; il te suffit de la faire cuire dans un four en observant les indications du fabricant.

Lorsque la tablette est cuite, retire-la précautionneusement du four et mets-la à refroidir. Peut-être qu'un enfant la trouvera en l'an 2030 et se servira de son combiné de téléportation pour te rendre visite et te demander la signification de ces symboles.

SURVIVRE À L'ÉPIDÉMIE DE PESTE NOIRE

Plouf! Tu viens de poser le pied dans une substance grumeleuse dont l'odeur ressemble étrangement à celle du crottin de cheval, alors que tu déambules dans une rue crasseuse du centre de Florence, en Italie.

La première chose que tu remarques est la puanteur. Au XXIe siècle, Florence est célèbre pour la magnificence de son architecture et la beauté de ses œuvres d'art, mais tu n'aperçois rien de cela ici. Il règne en ce lieu une odeur fétide et une désolation de fin du monde. Tu es arrivé dans cette ville au moment où frappe la peste noire, une maladie mortelle de laquelle périra près du tiers de la population du continent européen.

Deux avenues s'offrent à toi : appuyer sur la touche « Éjection » et sortir de là (l'odeur y est vraiment insupportable) ou rester un peu et voir ce qui s'y passe.

PRUDENCE!

• La peste noire est une maladie très infectieuse qui provoque des douleurs atroces avant de donner la mort.

• Ne t'approche de personne qui semble malade. Quelqu'un pourrait cracher du sang qui contiendrait le bacille de la peste.

• Évite les rats et les endroits où ils peuvent se cacher. Le rat ne transmet pas la peste; c'est la puce du rat qui en est porteuse.

• Ne te soucie pas des gens qui ne voudraient pas t'adresser la parole. Chacun est très effrayé; des parents ont même abandonné leurs enfants malades pour se protéger contre l'infection.

MALADIE TRANSMISSIBLE SOCIALEMENT

Sur le côté de la route, tu vois un homme qui court en se cachant le visage. Lorsque tu t'approches de lui afin de lui dire un mot, il semble très craintif. Toutefois, aussitôt que tu le rassures en lui disant que tu n'es pas infecté, il te permet de l'accompagner jusque chez lui. Il se prénomme Giovanni. Il te présente ses excuses pour son impolitesse de tout à l'heure, mais il explique que cette maladie a fait tant de morts que tout un chacun est terrifié. Les gens sont trop effrayés pour s'occuper de leurs proches lorsqu'ils sont malades ou encore pour les porter en terre lorsqu'ils sont morts.

Personne n'a encore trouvé de remède à cette maladie. Quelques-uns se sont barricadés à l'intérieur de leur maison. Ils pensent que la peste est un fléau divin auquel ils échapperont en menant une vie rangée et en s'adonnant à la prière. D'autres encore ont quitté la ville dans l'espoir d'échapper à la maladie. Quelques-uns semblent avoir perdu la tête et ne cherchent que les plaisirs. Ils boivent et mangent jusqu'à l'excès, et cambriolent les maisons abandonnées.

Ils croient qu'ils vivent leurs derniers jours et tentent de s'amuser le plus possible.

LA MÉDECINE AU MOYEN-ÂGE

Giovanni a vu mourir plusieurs personnes atteintes de la peste noire, car aucun remède n'est agissant. Voici quelques-uns des remèdes insensés qui ont été prescrits aux malades.

• La saignée. L'intervention consiste à pratiquer des incisions dans la chair et à laisser s'écouler le sang infecté. Cette pratique n'apporte aucun soulagement et ne contribue qu'à affaiblir le malade, voire à précipiter sa mort.

• L'incision des grosseurs provoquées par la maladie sur lesquelles on pose des crapauds séchés afin d'en extirper le poison. Cette façon de faire ne contribue probablement qu'à infecter davantage les plaies.

• La confection d'une guirlande de fleurs et d'herbes aromatiques. Cela peut masquer l'odeur des corps en décomposition, mais n'empêche pas l'infection. Cette dernière n'est pas provoquée par l'odeur infecte, mais par les morsures des puces infectées. Un bouquet de fleurs ne chassera pas les puces.

Giovanni s'arrête devant une porte et frappe. Elle s'ouvre à peine et une voix demande s'il est seul. Il dit que non et explique que tu sembles en santé, que tu es un voyageur venu d'une autre ville. Du vacarme et des cris montent à l'intérieur de la demeure. Ton ami te présente ses excuses, s'introduit par la porte entrouverte et la referme vite avant que tu n'entres.

Tu regardes la rue qui est déserte. Le moment est venu de t'en aller; tu n'as plus rien à faire là. Appuie sur la touche « Éjection ».

LES SYMPTÔMES DE LA MALADIE

Ouf! Te voilà de retour dans le présent. Ton combiné de téléportation est doté d'un écran immunitaire (reporte-toi à la page 10) qui te protège contre les maladies du passé et t'empêche de transmettre les maladies contemporaines aux gens que tu rencontres. Toutefois, dans l'éventualité peu probable d'une défaillance technique, surveille l'apparition des symptômes suivants au cours des prochaines semaines.

• Une tache noire qui démange et s'emplit de pus. Il s'agirait d'une morsure de puce infectée qui voudrait dire que tu as la forme la plus courante de la maladie, la peste bubonique. Les taches peuvent apparaître jusqu'à une semaine après les morsures.

• Des grosseurs sous les aisselles ou à l'aine. Ce sont des bubons qui peuvent croître jusqu'à atteindre la taille d'une pomme. Les bubons confirment que quelqu'un souffre de la peste bubonique. Les grosseurs sont en réalité les ganglions lymphatiques qui enflent et qui s'activent pour combattre la maladie.

• L'apparition de rougeurs inhabituelles sans la présence de bubons. Elles peuvent être un symptôme de la peste septicémique; dans ce cas, l'organisme tout entier est envahi par le bacille de la peste et le patient n'en réchappe jamais.

• L'apparition d'une fièvre élevée et la présence de sang dans les crachats. Dans ce cas, on est devant une forme plus virulente de la maladie, la peste pneumonique, qui se propage lorsque toussent les personnes atteintes et que le bacille se retrouve dans les poumons.

Si tu ne te sens pas bien, consulte un médecin. Les antibiotiques dont nous disposons aujourd'hui font un traitement très efficace contre cette maladie.

100 apr. J.-C.

RÔTI DE LOIR À LA ROMAINE

Tu te trouves sur un chemin poussiéreux du nord de l'Italie. Tu entends derrière toi les lourds craquements produits par des soldats vêtus de leur armure qui marchent dans ta direction. Aïe! Il semble que les armées romaines soient à ta recherche. Au moment où tu te retournes cessent soudain les craquements métalliques. Te prenant sans doute pour l'un des soldats de sa centurie (ou unité militaire de cent hommes), le centurion (le commandant d'une centurie) t'ordonne de te mettre en rang avec les autres.

UNE FUITE MORTELLE

Tu entres dans le rang à côté d'un soldat prénommé Curtius Balbas. Il t'avoue que tu as beaucoup de chance de t'en sortir à si bon compte. Les punitions infligées aux légionnaires romains sont très dures. Les soldats qui désobéissent aux ordres sont flagellés et, si le centurion t'avait soupçonné de vouloir prendre la fuite, un homme sur dix de la centurie aurait pu être tué. Ce châtiment est un *decimatio* et les centurions y recourent afin de dissuader quiconque aurait l'intention de prendre la fuite au cours d'une bataille. Curtius été le témoin de ce châtiment par le passé et il est terrifiant d'attendre de connaître les noms de ceux qui seront punis.

AÉROBIQUE POUR LÉGIONNAIRES

Aujourd'hui, les soldats s'entraînent à la marche. Ils prennent part à cet exercice à trois ou quatre reprises au cours d'un mois et marchent à une vitesse de près de 8 kilomètres (5 milles) à l'heure et parcourent une distance d'environ 30 kilomètres (un peu moins de 20 milles) en l'espace de 5 heures, vêtus de leur armure. En outre, ils doivent porter tout le matériel nécessaire à l'établissement de leur campement.

Curtius avoue que l'entraînement est rude, mais que cela est nettement préférable au combat ou à la construction de longues routes rectilignes pareilles à celle sur laquelle tu te trouves en ce moment. Curtius a participé à quinze campagnes depuis qu'on l'a appelé sous les drapeaux alors qu'il venait d'avoir 17 ans.

REPAS À EMPORTER

Lorsque vous vous arrêtez afin de dresser le campement pour la nuit, tu es très fatigué. Tu es si affamé que tu pourrais manger un bœuf, mais Curtius a prévu autre chose de moins imposant au menu. Il propose de vous régaler d'un mets délicat que les Romains apprécient au plus haut point : un loir rôti. D'ordinaire, on sert du loir lors des banquets de la haute société, mais il conserve une jarre de loirs vivants qu'il nourrit en prévision d'un festin. Soucieux de ne pas paraître peureux, tu acceptes son invitation et tu l'observes alors qu'il apprête ce rongeur à la sauce romaine.

LOIR À LA ROMAINE

Aujourd'hui, le loir est une espèce protégée et nous ne voudrions pas en consommer, même si la chose était permise. La recette de *Curtius* requiert des loirs véritables, que tu peux remplacer par des cuisses de poulet.

Ingrédients :

- 4 cuisses de poulet désossées, sans peau
- 100 grammes (3 ½ onces) de porc haché
- 15 ml (1 cuiller à soupe) de noix hachées
- 15 ml (1 cuiller à soupe) de bouillon de poulet
- 15 ml de sauge hachée • sel et poivre

1. Faire chauffer la cuisinière électrique à 200 °C (400 °F) ou la cuisinière à gaz à 6.

2. Déposer dans un bol le porc haché, les noix, la sauge, le sel et le poivre et mélanger avec soin. Verser le bouillon de poulet en remuant le tout.

3. Aplatir les cuisses de poulet et les déposer à l'envers sur un plan de travail.

4. Déposer une cuiller de farce au porc au centre de chaque cuisse et les refermer.

5. Poser les cuisses sur leur farce sur un carreau en argile (ou dans une cocotte) et les enfourner pendant 35 minutes.

6. Au bout de 35 minutes de cuisson, retirer les cuisses du four, non sans avoir passé des moufles isolantes, et les laisser refroidir pendant 5 minutes avant de les servir.

Suggestion du chef : Pour faire un plat plus sucré, verse un filet de miel sur les cuisses et saupoudre-les de graines de pavot. Miam-miam !

CARAVANE SUR L'ANCIENNE ROUTE DE LA SOIE

Ouille! Tu viens d'atterrir sur le derrière entre les deux bosses d'un chameau. Dur, dur de se poser ainsi! Il est difficile de dire lequel du chameau ou de toi est le plus étonné. Mais l'heure n'est pas à ce genre de réflexion, car le chameau est en mouvement. Tu sillonnes l'ancienne route de la soie, la principale voie commerçante entre la Chine et l'Europe.

Elle ne ressemble à aucune route que tu connais — on dirait plutôt une piste poussiéreuse — et tu te déplaces au sein d'une caravane, c'est-à-dire un groupe de marchands et leurs chameaux qui se suivent à la queue leu leu. Ils discutent de la soie, du thé, de la porcelaine et d'autres produits exotiques qu'ils échangeront à des marchands européens qui tiennent des comptoirs et des bazars le long de la route. En échange, ils choisiront des produits européens tels que l'or, la laine et le vin et les rapporteront en Chine.

BANDITS DE GRAND CHEMIN

Sois prévenu. L'ancienne route de la soie traverse d'immenses déserts et quelques-unes des plus hautes chaînes de montagnes du monde; il s'agit d'un périple ardu et dangereux à entreprendre. Tu passeras par des lieux infestés de bandits et tu devras te méfier des embuscades. Les malfaiteurs peuvent se tapir dans les passages étroits, les sous-bois touffus, au sommet d'une colline et derrière les masses rocheuses. Voici ce que tu peux faire afin de compliquer la tâche des bandits.

• Varie la vitesse à laquelle tu te déplaces.

• Arrête-toi souvent et observe bien la route devant et derrière toi.

• Essaie de repérer des éclats de lumière – il pourrait s'agir des rayons du soleil qui jouent sur un objet métallique appartenant à un malfaiteur accroupi.

• Veille à ce que les caravaniers soient espacés les uns des autres à intervalles réguliers. Vous devriez être suffisamment rapprochés pour pouvoir recevoir des renforts et suffisamment éloignés pour que les bandits ne puissent pas tous vous encercler.

TEMPÊTE DE SABLE À L'HORIZON

En outre, tu traverses des contrées où se lèvent des tempêtes de sable. Des vents vifs qui soufflent sur le sable ou la terre desséchée forment d'énormes nuages de poussière qui se déplacent à une vitesse pouvant atteindre 160 kilomètres par heure (100 milles par heure). Voici ce que tu dois faire si tu aperçois au loin une telle tempête.

• Cherche refuge dans un endroit plus élevé, si la chose est possible.

• Couvre ton nez et ta bouche d'un chiffon humide.

• Tente de trouver un abri. Cherche un rocher qui puisse te protéger des rafales; sinon, sers-toi de ton nouvel ami, le chameau. Oblige-le à s'asseoir et tapis-toi contre lui, à l'abri du vent.

Le chameau ne craindra rien. Il est bien protégé contre les tempêtes de sable. Il peut fermer ses narines et ses sourcils broussailleux, et ses longs cils protégeront ses yeux du sable.

• Enveloppe-toi de tout ce qui pourrait te protéger. Les vents tourbillonnants pourraient soulever de lourds objets et tu risquerais d'être blessé.

Dès lors que tu te trouveras au cœur de la tempête, ne bouge plus avant qu'elle ne soit passée. La visibilité peut être nulle en l'espace de quelques secondes.

PANIQUE DANS LES HAUTEURS

• Lorsque tu atteins les montagnes, tu dois franchir des voies étroites et escarpées, au-dessus de ravins encaissés dans les rochers à des centaines de mètres plus bas. Si tu es pris de panique, accepte de vivre cette émotion. Il est normal que tu aies peur. Respire plus lentement. Suis de près le marchand qui te précède et emprunte les traces de son chameau. Sois à l'affût des plaques de terre molle sur lesquelles tu pourrais trébucher. Ne regarde pas trop loin devant. Concentre ton attention sur l'endroit où tu es à chaque instant et ne te soucie pas du passage plus abrupt qui approche.

1880 apr. J.-C.

LA CONQUÊTE
DU FAR WEST

Sapristi ! Tu te trouves au milieu d'une rivière. L'eau est glacée. Tu es même trop engourdi pour grelotter. La rivière est large et, bien que son lit soit peu profond, le courant est presque assez puissant pour t'entraîner à sa suite. Tu t'accroches à ce que tu as sous la main : un bœuf.

Le bœuf n'est pas seul. Il fait partie de l'attelage qui tire un chariot pour lui faire traverser la rivière. D'autres wagons se trouvent devant et derrière toi. En fait, ils sont si nombreux qu'ils forment un convoi dont tu n'aperçois ni la tête ni la queue. Te voilà en compagnie de pionniers qui se dirigent vers l'Ouest américain. Les wagons sont pleins de gens qui ont décidé de quitter les villages et les villes de la côte est et d'aller dans l'Ouest en quête d'une vie meilleure. C'est cet Ouest mythique que l'on a appelé le Far West.

CAMPEMENT DE NUIT

Ton combiné de téléportation est étanche, mais tu ne l'es pas. Tu es trempé jusqu'aux os lorsque tu poses le pied sur l'autre rive. Par chance, le chef du convoi décide que l'endroit est propice à l'établissement du camp où passer la nuit.

Bientôt, tous les wagons forment un grand cercle. On allume des feux de camp sur lesquels ont pose de grandes marmites. Tu t'assois autour du feu en compagnie d'autres pionniers, vous chantez des chansons et bavardez sous le ciel étoilé. Cela vaut nettement mieux que les vacances habituelles dans la caravane de tes parents!

LA RUDESSE DE L'OUEST

Ne sois pas dupe des chansons autour du feu. Les chanteurs sont des pionniers et ils mènent une vie rude, car la vie est dure dans l'Ouest américain.

• La journée commence de bonne heure; on allume le feu et on prépare le petit déjeuner avant l'aube.

• Il faut marcher la majeure partie de la journée. Les bœufs tirent déjà de lourdes charges et le terrain est difficilement praticable. Il n'est guère plus amusant de se déplacer à bord des wagons. On s'y fait secouer comme une poupée de son, et les chaudrons et les casseroles s'entrechoquent dans une cacophonie assourdissante.

• Bien qu'ils fassent route pendant 10 heures ou plus, la plupart des convois ne parcourent pas davantage que 19 kilomètres (12 milles) par jour. S'il pleut ou si le sol est boueux, la distance est moindre.

• Les enfants sont chargés de plusieurs besognes, par exemple ramasser des petits morceaux de bois, aider à la préparation des repas, aller chercher de l'eau à la rivière et traire les vaches.

ATTENTION : DANGER

Le périple vers le Far West est parsemé d'embûches et plusieurs dangers guettent les voyageurs. Voici quelques-uns des périls à venir.

• Le chemin même est dangereux. Certains passages se trouvent en hauteur dans les montagnes et, à d'autres moments, il faut franchir des rivières beaucoup plus larges, plus profondes et plus tempétueuses que celle que tu viens de traverser.

• La faune et la flore y sont sauvages. Les serpents à sonnettes sont nombreux et leur morsure est mortelle. Les coyotes et autres animaux sauvages rôdent la nuit à la recherche de nourriture.

• Le soleil est brûlant et le sol, très sec. Les herbes peuvent prendre feu à tout moment et brûler les chariots qui avancent avec lenteur.

• Les prairies sont des espaces ouverts et exposés aux éléments. Au cours d'un orage, la foudre peut frapper un chariot et l'enflammer en quelques secondes.

• Les pionniers transportent toutes leurs possessions; donc, ces convois qui avancent lentement sont la proie des bandits de grand chemin. Les malfaiteurs et les hors-la-loi sont une menace constante et le Far West leur doit sa réputation de rudesse.

SUIVRE LES PISTES

Après une nuit passée à dormir près du feu, tu te lèves pour une autre journée sur la piste des aventuriers. Tu décides de rejoindre le chef de convoi qui prend place dans le premier chariot. Il ordonne aux conducteurs de se mettre en branle. À mesure que vous avancez, il t'indique quelques-uns des signes qu'un autre chef de convoi a laissés sur son passage. Au premier coup d'œil, on dirait simplement des tas d'agates, mais en y regardant de plus près, il t'explique que ces agates sont disposées de telle manière qu'elles indiquent la voie à suivre et les dangers qui attendent les voyageurs.

Il te demande de l'aider à laisser des pistes le long de la route à l'intention du prochain convoi. Voici quelques-uns des signes qu'il sème sur sa route.

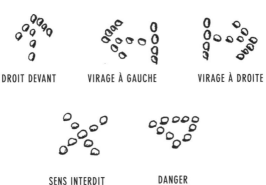

DROIT DEVANT   VIRAGE À GAUCHE   VIRAGE À DROITE

SENS INTERDIT   DANGER

MESSAGE DISSIMULÉ (LES PIERRES INDIQUENT LE NOMBRE
DE PAS À FAIRE AFIN DE TROUVER LE MESSAGE).

Voici la signification des symboles de la page 108.

TÊTE   MARCHE   EAU

1783 apr. J.C.

ENVOLÉE À BORD
D'UNE MONTGOLFIÈRE

Le ronflement d'un brûleur qui chauffe de l'air emplit soudain tes oreilles. Voilà que tu te trouves à bord de la nacelle d'une montgolfière que l'on manœuvre à 1000 mètres (3280 pieds) au-dessus du sol. Sauf que tu n'es pas à bord de n'importe quel aérostat; tu participes au premier vol humain du genre.

Deux autres hommes sont à bord, un professeur de sciences et un aventurier. Après que soit passé le choc qu'ils éprouvent en te voyant apparaître à leurs côtés, ils te racontent comment la montgolfière fut lancée depuis les jardins d'une grande demeure aux portes de Paris. Elle vole à présent au-dessus de la ville et a déjà parcouru près de 9 kilomètres (5½ milles), ce qui impressionne quand on sait que nul ne s'est jamais déplacé de la sorte dans les airs. Au-dessous de vous, les badauds sont regroupés comme des fourmis qui vous acclament et vous saluent sur votre passage. Tu leur tends la main, heureux de ta célébrité d'un instant.

L'imposant ballon bleu ciel, qui mesure 23 mètres (75 pieds) de hauteur et 14 mètres (50 pieds) de circonférence, est orné de fioritures dorées. Il a été confectionné dans une étoffe appelée « taffetas » que l'on a enduite d'un vernis résistant au feu. Malheureusement, le taffetas n'est pas vraiment à l'épreuve du feu. Tu sens une odeur de brûlé. Le ballon commence à roussir. L'un des hommes tente d'étouffer les flammes qui lèchent le taffetas à l'aide de son pourpoint. Le moment est venu de vous poser.

LES FRÈRES INVENTEURS

Vous atterrissez entre deux moulins à vent. Ce n'était pas trop tôt, car les contours de ton combiné de téléportation commençaient à fondre. On te présente deux frères, Joseph et Étienne de Montgolfier, qui sont les cerveaux derrière ce vol inaugural. Étienne a le sens des affaires et Joseph est un inventeur fécond. Ce dernier te confie que l'idée de construire cet aérostat lui est venue alors qu'il observait des vêtements qui séchaient au-dessus d'un feu et que la chaleur faisait gonfler. Au bout de cinq années d'expérimentation, il a construit ce grand ballon.

Joseph avoue que tes compagnons et toi n'êtes pas les premières créatures à vous déplacer à bord d'un aérostat. Cet honneur revient à un mouton, un canard et un coq, qui ont pris part plus tôt au premier vol habité à Versailles, en présence du roi Louis XVI. Personne n'a su ce qu'ils ont pensé de l'expérience.

Le moment est venu pour toi de repartir. Tu t'esquives derrière un arbre afin d'appuyer sur la touche « Éjection » de ton combiné légèrement brûlé. Imagine à quel point Joseph de Montgolfier aurait aimé posséder une telle chose pour pouvoir se déplacer dans le temps et dans l'espace...

LE FIL DU TEMPS

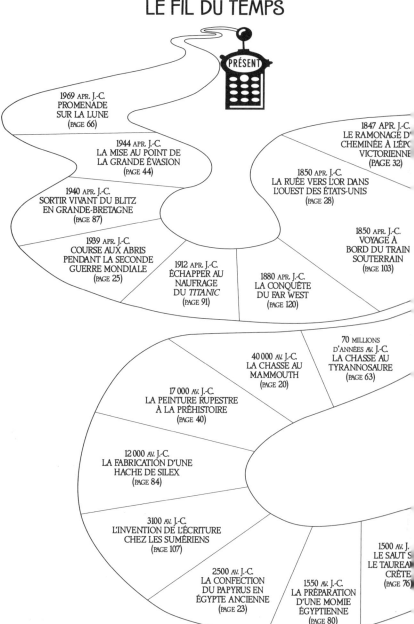

PRÉSENT

1969 APR. J.-C.
PROMENADE
SUR LA LUNE
(PAGE 66)

1944 APR. J.-C.
LA MISE AU POINT DE
LA GRANDE ÉVASION
(PAGE 44)

1940 APR. J.-C.
SORTIR VIVANT DU BLITZ
EN GRANDE-BRETAGNE
(PAGE 87)

1939 APR. J.-C.
COURSE AUX ABRIS
PENDANT LA SECONDE
GUERRE MONDIALE
(PAGE 25)

1912 APR. J.-C.
ÉCHAPPER AU
NAUFRAGE
DU *TITANIC*
(PAGE 91)

1847 APR. J.-C.
LE RAMONAGE D'
CHEMINÉE À L'ÉPO
VICTORIENNE
(PAGE 32)

1850 APR. J.-C.
LA RUÉE VERS L'OR DANS
L'OUEST DES ÉTATS-UNIS
(PAGE 28)

1850 APR. J.-C.
VOYAGE À
BORD DU TRAIN
SOUTERRAIN
(PAGE 103)

1880 APR. J.-C.
LA CONQUÊTE
DU FAR WEST
(PAGE 120)

70 MILLIONS
D'ANNÉES AV. J.-C.
LA CHASSE AU
TYRANNOSAURE
(PAGE 63)

40 000 AV. J.-C.
LA CHASSE AU
MAMMOUTH
(PAGE 20)

17 000 AV. J.-C.
LA PEINTURE RUPESTRE
À LA PRÉHISTOIRE
(PAGE 40)

12 000 AV. J.-C.
LA FABRICATION D'UNE
HACHE DE SILEX
(PAGE 84)

3100 AV. J.-C.
L'INVENTION DE L'ÉCRITURE
CHEZ LES SUMÉRIENS
(PAGE 107)

2500 AV. J.-C.
LA CONFECTION
DU PAPYRUS EN
ÉGYPTE ANCIENNE
(PAGE 23)

1550 AV. J.-C.
LA PRÉPARATION
D'UNE MOMIE
ÉGYPTIENNE
(PAGE 80)

1500 AV. J.
LE SAUT S
LE TAUREA
CRÈTE
(PAGE 76)

En appuyant sur la touche « Saut » de ton combiné de téléportation, tu reviens dans le présent. Toutefois, si tu souhaitais remonter le temps en suivant le cours réel des événements, du plus près de notre époque au plus loin, voici l'ordre chronologique selon lequel ils se sont produits. Ton parcours commence dans le présent et s'achève à l'époque des grands dinosaures.

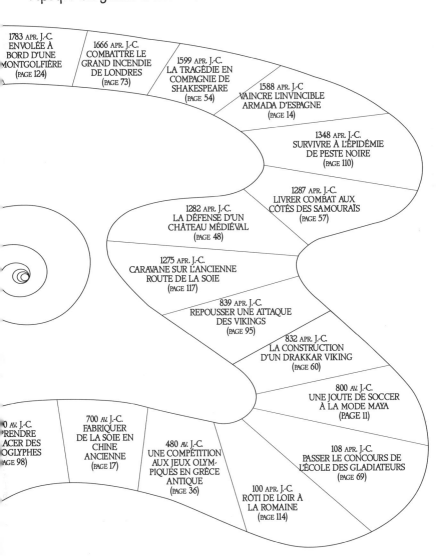

1783 APR. J.-C.
ENVOLÉE À BORD D'UNE MONTGOLFIÈRE
(PAGE 124)

1666 APR. J.-C.
COMBATTRE LE GRAND INCENDIE DE LONDRES
(PAGE 73)

1599 APR. J.-C.
LA TRAGÉDIE EN COMPAGNIE DE SHAKESPEARE
(PAGE 54)

1588 APR. J.-C
VAINCRE L'INVINCIBLE ARMADA D'ESPAGNE
(PAGE 14)

1348 APR. J.-C.
SURVIVRE À L'ÉPIDÉMIE DE PESTE NOIRE
(PAGE 110)

1287 APR. J.-C.
LIVRER COMBAT AUX CÔTÉS DES SAMOURAÏS
(PAGE 57)

1282 APR. J.-C.
LA DÉFENSE D'UN CHÂTEAU MÉDIÉVAL
(PAGE 48)

1275 APR. J.-C.
CARAVANE SUR L'ANCIENNE ROUTE DE LA SOIE
(PAGE 117)

839 APR. J.-C.
REPOUSSER UNE ATTAQUE DES VIKINGS
(PAGE 95)

832 APR. J.-C.
LA CONSTRUCTION D'UN DRAKKAR VIKING
(PAGE 60)

800 AV. J.-C.
UNE JOUTE DE SOCCER À LA MODE MAYA
(PAGE 11)

0 AV. J.-C.
PRENDRE ACER DES OGLYPHES AGE 98)

700 AV. J.-C.
FABRIQUER DE LA SOIE EN CHINE ANCIENNE
(PAGE 17)

480 AV. J.-C.
UNE COMPÉTITION AUX JEUX OLYMPIQUES EN GRÈCE ANTIQUE
(PAGE 36)

108 APR. J.-C.
PASSER LE CONCOURS DE L'ÉCOLE DES GLADIATEURS
(PAGE 69)

100 APR. J.-C.
RÔTI DE LOIR À LA ROMAINE
(PAGE 114)

AUTRES TITRES DE LA COLLECTION :